打開天窗　敢說亮話

INSIGHT

給女兒天蔚，

多謝妳給爸媽帶來十九年無比的歡欣。

天地人間

從宇宙洪荒到人的處境

李偉才　著

目錄

自序：植根科學、擁抱人文 6

1 我們從哪裡來？

1.1 宇宙的起源 萬物的開端 12
1.2 元素的起源 我們都是星辰兒女 18
1.3 地球演變 滄海桑田 22
1.4 生命的起源和演化 26
1.5 人類的起源 31

2 浩瀚宇宙 人在何處？

2.1 人類在空間中的位置 40
2.2 宇宙年曆 人類除夕「出生」......45
2.3 人在生物世界的地位 50
2.4 萬物之靈擁有靈魂嗎？......56
2.5 人類的出現 宇宙的覺醒 65

3 人的本性如何？

3.1 人性的善與惡 72
3.2 自然選擇 決定演化走向 74
3.3 從「自私基因」到「宜斯策略」......78
3.4 顛倒的因果鏈 88
3.5 人性特質 與文化互為因果 94
3.6 語言發展 推動心靈躍升 107

3.7 人的需求 從生存到尊重 110
3.8 群內與群際競爭：善、惡根源再探 112

4 人追求甚麼？

4.1 個人與世界 120
4.2 人生的基本——生存 126
4.3 集體的延續——繁衍 133
4.4 生存之後的追求——自由與尊嚴 140
4.5 生命的圓滿——愛與情 144
4.6 無盡的欲念——名、利、權 147
4.7 真本性——人格與自我 154
4.8 終極追求——智慧與幸福 160

5 價值與意義的追尋

5.1 追求全能 意義何在？ 168
5.2 求真——探索宇宙的真象 170
5.3 求善——免人於苦難的精神 181
5.4 求美——人類文明躍升的標誌 192
5.5 求超越——信仰與不朽的境界 198
5.6 人生正是宇宙大劇場 206

結語 210

參考書目 212

自序 植根科學、擁抱人文

我是誰？我從哪裡來？我應往何處去？這是我們每個人在成長過程中都會提出的疑問，筆者自不例外。但隨著對世界的認識逐步加深，我深深感到這些問題的答案無法單從個人的層面尋獲。要找出答案，或至少答案的端倪，我們必須超越個人的層面達至社會的層面，而最後更需擴展至人類作為一個族類的層面。 就是這樣，「人的處境」成為了我最想探討和撰寫的一個題目。

大概是中學三、四年級吧，筆者讀到由英國學者史諾爵士（Sir C.P. Snow, 1905-1980）根據他一次演講所寫的《兩個文化與科學革命》（*The Two Cultures and the Scientific Revolution*）一書，並對書中描述的現代文明中「兩個文化」（「科學」與「人文」）的隔閡甚至對立深有所感。自此之後，筆者即以打破這種隔閡為己任。數十年來的寫作和講學，涵蓋的題目由天文、物理、生物擴展至環境保護、經濟學、社會學甚至男女關係等，都是實踐這個目標的足跡。

約20年前，筆者萌生了一項較具體的念頭，就是建立一套我稱之為「科學人文主義」（scientific humanism）的論述。但由於工作忙碌，我當時只能抽空寫了一篇約五、六千字的文章〈科學人文主義芻議〉，可惜這篇文章在香港找不到地方出版，故最後是交給了台灣的朋友，並刊登於2004年的4月號的《當代》雜誌之中。至數年前，文章被收錄至拙作《論盡宇宙》。

十多年前，筆者讀了著名人文學者以賽亞•伯林（Isaiah Berlin, 1909-1997）的著作 *The Proper Study of Mankind*（《人的正確研究》）。我一方面對伯氏廣博的學識和深邃的思想感到折服，一方面卻對他輕視科學探求帶來的成果感到不安。筆者自求學時期便不歇地提出：科學不獨是人類物質文明的偉大成就，更是人類精神文明的偉大成就。顯然，伯氏並不認同這種觀點。

是科學也是哲學問題

伯氏著作的題目，來自英國詩人亞歷山大•蒲柏（Alexander Pope, 1688-1744）作品《論人》中的一句：「人類的正確研究是人本身」（The proper study of mankind is man.）在西方擺脱神權思想的歷史上，這一觀點具有很大的進步意義。「人」不再是神的侍從或附屬品；他既不是禽獸，也不是天使，他就是人。而大部分的人既不是聖人也不是罪人，而只是平凡的普通人。也就是說，我們必須把人還原為普通人，才可對他進行正確的研究。

但在閱讀伯林的著作時，筆者看到的不單是這些。伯氏更為強調的，是人的精神遠遠淩駕他的物性和物質環境。在他看來，強調「生產力」或「客觀可驗證性」決定一切的觀點不但錯誤，而且是貶損人性和危險的。顯然，伯氏當時所針對的，是蘇俄所鼓吹的「辯證唯物史觀」（dialectical materialism），以及曾於西方流行的「邏輯實證主義」（logical positivism），因此是有感而發的。

但在筆者看來，伯氏是「把嬰兒和髒水一起倒掉」。「人的正確研究」（以及人的處境）既是一個哲學問題，也是一個科學問題，而哲學與科學之間並沒明確的分野。科學過去百多二百年的探求（特別在達爾文發表《物種起源》以後），大大加深了我們對世界，包括人類和其內心世界的認識和了解。完全忽視這些了解來研究人的本質，是愚蠢和不負責任的行為。筆者為這種將知識進步摒諸門外的哲學傾向起了一個名稱：「不相干謬誤」（The Fallacy of Irrelevancy）。

從演化制約帶出價值的追求

正因如此，比起歷來探究人類處境的經典著作如卡爾•榮格（Carl Jung）的《尋求靈魂的現代人》（*Modern Man In Search of a Soul*, 1933）、維克多•法蘭克（Viktor Frankl）的《活出意義來》（*Man's Search for Meaning*, 1946）、漢娜•鄂蘭的《人的境況》（*The Human Condition*, 1958）、卡爾•羅傑斯（Carl Rogers）的《立身之道》（*A Way of Being*, 1980）、伯林的《人的正確研究》（1997）等，本書最大的特色，是擁抱現代科學有關宇宙和人類演化的最新研究，牢牢將人類植根於時空世界和生物世界，從宇宙的誕生、生物的演化、人類起源、基因變異和繁衍的邏輯、群族競爭的策略等「制約」，帶出人的本性、欲求、道德觀念、以及價值的追尋等。

筆者深信，科學探求絕對不是人文精神的敵人，相反，它是人文精神的最佳盟友。如果人類不能在物性、感性、理性和靈性諸方面達於融通，人類便不能得到真正的快樂。反之，如果人類能夠以開敞的心智繼續作出不偏不倚的探求，他會變得更睿智、更慈悲、更有活力、更像人。

這，便是我寫作這本書的動機。

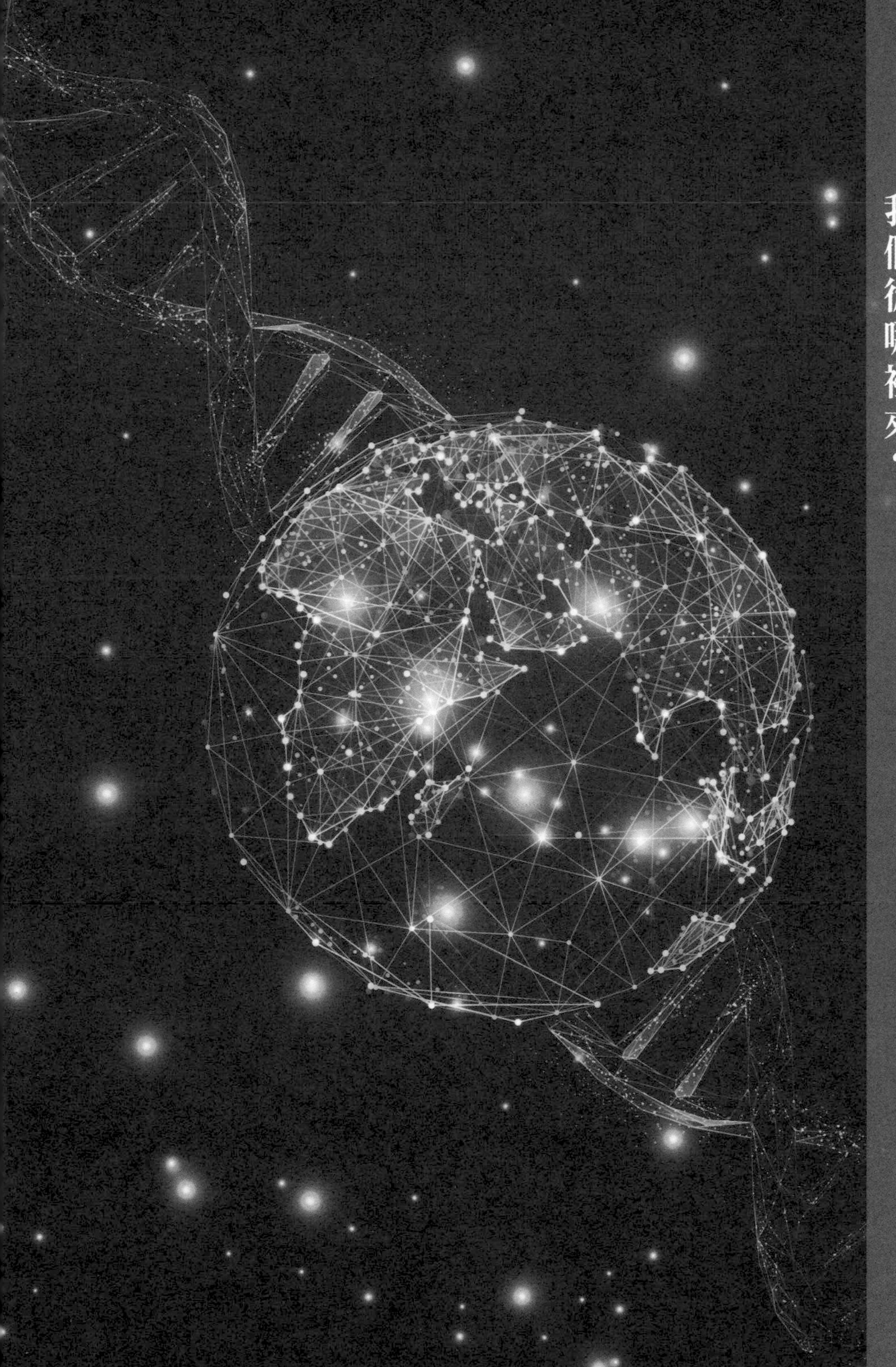

1

我們從哪裡來？

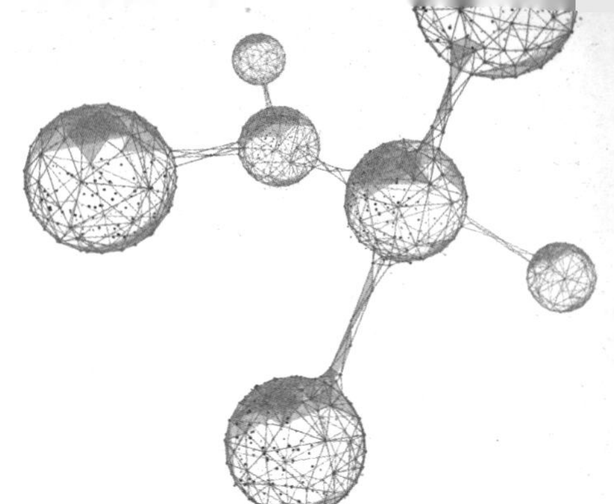

1.1 宇宙的起源
萬物的開端

追問自己如何來到這個世界，似乎是每一個人都會做的事情。

在性禁忌強烈的傳統社會，父母親都會因為這個追問而感到尷尬，從而拋出「從腋窩鑽出來」或甚至「從路邊拾回來」等無稽的答案；在西方則有「白鸛送子」這種較浪漫的說法。

隨著年紀漸長，我們當會明白，與其他初生嬰兒一樣，我們都是經過母親「十月懷胎」，然後從她的胯下誕生到這個世上。再進一步，我們會知道（無論從學校或自學的生物學知識那兒）：母親之會懷孕，是因為父、母親的性行為，讓父親的精子能夠與母親的卵子在母親體內結合，而這顆受精卵在母親子宮的培育下不斷分裂變化，最後形成呱呱落地的那個我。

我相信不少人，包括未有上述生物學知識的古人，都會想過一個問題：如果我們是由爸爸媽媽的結合而來，那麼他們又是從何而來的呢？這個問題最初並不難答：父親當然是從他的父母親（我的祖父母）的結合而來，而母親當然是從她的父母親（我的外祖父母）的結合而來的囉。但我們一旦再往上推，立即會遇到一個巨大的困惑，那便是：如果所有人都由父母親所生，那麼最初的父母親又是由誰人所生的呢？

有限或無限的困惑

我相信對很多人來說，這是他們第一次碰到「有限與無限」這個弔詭的觀念，因為無論我們選擇「人類的原祖父母不需由父母所生」（基於「有限」的假設），還是選擇根本沒有所謂「原祖父母」，而世代的繁衍向上追溯乃無窮無盡（基於「無限」的假設），我們都會感到難以接受。這便正如意大利物理學家及天文學家伽利略（Galileo Galilei）所寫的《有關兩個世界的對話錄》（*Dialogue Concerning On The Two Chief World Systems*）之中，其中一名對話者在了解到空間的「有限」和「無限」的兩難之局時說：「這樣的情況我的頭腦理解不了，我的腸胃也接受不了！」

簡單而言，這個困惑就是「有雞先還是有蛋先？」這個著名的悖論。對於喜愛哲學思考的人，這便是世事的「因果鏈」是否有窮盡的問題。對於大部分宗教而言，「因果鏈」是有盡頭的，而萬物的「第一因」即世界的創造者，我們稱之為「神」或「上帝」。

就是這樣，世界各個民族都有他們的創世神話。在這些神話中，神不但創造了世界，也直接創造了人：在猶太教的神話中，上帝用了六日創造天地，並在第六天創造了第一個人：阿當。在印度教中，這個創造萬物的神是梵天；在中國的神話中，開天闢地的神是盤古，但創造人類的則是另一個神女媧。

我們應該慶幸能活在今天，因為在數千年的人類文明中，我們是極少數能夠超越上述的憑空臆想，進而能夠透過大量證據來探視這個「萬物起源之謎」的人類。

十六世紀打開認識宇宙之門

事情得從十六世紀說起。波蘭數學家、天文學家哥白尼（Nicolaus Copernicus）於1543年發表的「日心說」（Heliocentric Theory），打開了人類正確認識宇宙的大門。之後的四百多年，無數的科學家付出了無比的精神和心血，大大加深了我們對宇宙的了解。但說到宇宙的起源，真正的突破還要等到二十世紀初。這個突破有理論的部分也有觀測的部分，而令人激動振奮的，是理論和觀測的高度吻合。

讓我們先看看理論。物理學家愛因斯坦（Albert Einstein）在1915年發表了「廣義相對論」（general relativity），提出了時間和空間不但密不可分，而且這個「時空連續體」還有形狀和結構。根據他建立起來的物理方程式，時空的演變可以是不停地膨脹，也可以是不停地收縮。為了杜絕這種他認為不合理的情況，愛氏做了一件他事後自認為「一生最大的錯事」，就是在方程式中硬生生地加入了一個常數以維持時空尺度不變。然而，往後一些科學家的研究很快便發現，他這個做法是徒勞無功的。

現在讓我們看看觀測方面。原來從上世紀二十年代開始，天文學家在研究銀河系（Milky Way）以外的眾多星系（galaxies）之時，驚訝地發現差不多所有這些星系都正在後退，而且離我們愈遠的星系後退的速度愈快。

科學家不用多久便想到，這個現象應該就是廣義相對論所論證的「時空膨脹」所引致。情況就有如我們在焗一個提子蛋糕，當蛋糕在焗爐中不斷膨脹，提子（等於真實世界中的星系）之間的距離便不斷增加。而從任何一顆提子（例如我們的銀河系）看起來，其他的提子都在不斷後退一樣。

宇宙每一刻都在膨脹

就是這樣，人類發現了宇宙每一刻都在膨脹這個驚人的事實。我們之所以察覺不到這種膨脹，是因為它發生在超大時空範圍，在太陽系甚至銀河系的尺度，萬有引力的作用將這種膨脹掩蓋起來罷了。

科學家很快亦作出推論，那便是宇宙既然不斷膨脹，那麼遠古時的宇宙必然較今天的小得多。繼續在時間上溯流而上，宇宙必然曾經處於一個體積極小，而密度、壓力和溫度都極高的原始狀態。最先提出這個觀點的學者、比利時神甫喬治•勒梅特（Georges Lemaitre）把這時的宇宙戲稱為「宇宙蛋」（Cosmic Egg），並指出宇宙蛋的爆破（往後的科學家稱為「大爆炸」）便等同宇宙的誕生。

往後大半個世紀的深入研究顯示，勒氏的推論完全正確，而與達爾文的「生物進化論」一樣，「大爆炸宇宙理論」已經超越理論的層面，成為人類認識宇宙的歷程上一項最基本的科學事實。

研究顯示，大爆炸發生於138億年前的某刻。今天，科學家已經能夠把我們對宇宙的了解，不斷推前到爆炸後的百萬分一秒、億萬分一秒甚至兆兆分一秒時的時刻（其時宇宙的直徑比一顆原子還要小得多)。爆炸後的頭三分鐘是最重要的，因為宇宙中最主要的物質氫（hydrogen）和氦（helium）就是在那段時間形成。

宇宙「爆炸」後 時間誕生

必須指出的是，雖然我們用了「爆炸」這個詞，但這絕非我們日常生活所理解的爆炸，這不是事物在「某一時間」和「某一空間」中的爆炸，因為時間和空間（以及一切物質和能量）都是從這趟「爆炸」中誕生的。不要問我這是甚麼意思，因為這已超乎了人類的常識和直觀。但正如愛因斯坦被問到相對論「違反常識」之時，他答道：「所謂常識，只不過有如一個人18歲以前的偏見罷了。」

當然，一個揮之不去的問題是：大爆炸從何而來？之前又是怎樣的一回事？按照現代物理學和宇宙學的觀點，這些問題是不成立的，因為按照量子力學的「不確定原理」（Uncertainty Principle），宇宙的出現完全可以源於隨機性的「真空擾動」；而按照相對論，「時空」可以是「有限而無邊」的，要尋找「時空」的肇始，便等於在地球上尋找「北」的源頭，當我們抵達北極時，再前進的話不是「更北」反而是向南。霍金（Stephen Hawking）於 1988 年出版的《時間簡史》（*A Brief History of Time*），最想表達的就是這些理論成果。

方勵之、李淑嫻於 1989 出版的《宇宙的創生》，是中文書籍向大眾介紹「宇宙是一個自洽體系」和「宇宙可以創生於無」這些觀念的首次嘗試。筆者自問無法說得比霍金和方勵之等更好，所以只有推薦大家找這兩本書來細看。

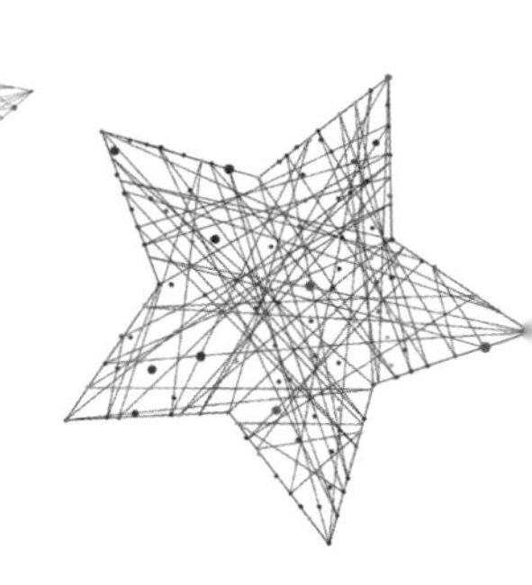

1.2 元素的起源
我們都是星辰兒女

氫和氦是宇宙間兩種最簡單的元素。氫由一顆電子（electron）環繞著一顆質子（proton）組成；而氦則是由兩顆電子環繞著由兩顆質子和兩顆中子（neutron）構成的原子核（nucleus）所組成。

大爆炸理論的研究顯示，這兩種元素在大爆炸後兩分鐘左右便已開始形成（術語稱「核素合成」，nucleosynthesis），而最後穩定下來時，兩者的比例應是氫約佔四分之三，氦約佔四分之一。這與天文學家觀測所得的實際結果高度吻合（氫佔73%、氦佔25%），是大爆炸理論成立的一項重要證據。（另一項重要證據是「大爆炸的餘溫」——對應於絕對溫度2.7度的「微波宇宙背景輻射」。）

大家可能留意，氫和氦加起來佔了宇宙物質的98%，那麼其餘的2%是甚麼呢？理論計算和實測再次高度吻合，其餘的物質主要是繼氫和氦以後最簡單的元素：鋰（lithium）、鈹（beryllium）、硼（boron）。

但由硼開始，理論和實測出現了矛盾。按照大爆炸理論，宇宙初期的狀況最多只能合成硼這種元素。由於宇宙的迅速膨脹和冷卻，較複雜的元素如碳、氮、氧、鉀、鈉、鈣、硫、磷、鐵等，皆沒有可能形成。但不用說，地球的存在及至人類的存在，都有賴這些「微量元素」的存在。那麼是否說，大爆炸理論出現了嚴重的錯漏呢？

太陽核聚變致發光發熱

上世紀五十年代初，問題終於得到解答。研究恒星演化的天文學家指出，恒星之所以發光發熱，是由於在它們極高溫和極高壓的中心區域，較輕的元核不斷被擠壓成為較重的元素，從而釋放出巨大的能量。作為一顆恒星的太陽，這種「核聚變」（nuclear fusion）也是它的能量泉源：太陽中心的氫氣（嚴格來說是氫核）不斷聚合變成氦氣（氦核），而釋放的能量便照亮了整個太陽系、整個地球及至我們的每一天。

但這又怎能解釋碳、氮、氧等的出現呢？原來深入的研究顯示，隨著恒星的主要燃料氫慢慢用罄，萬有引力的擠壓會令到恒星內部的溫度不斷上升，結果是其他類型的核聚變反應會陸續出現，例如氦會聚合成碳、碳又會聚合成氮、氧、氖等更複雜的元素。

研究顯示，在不同質量的恒星之內，這種「恒星元素合成」（Stellar Nucleosynthesis）的過程會甚為不同。但就以最終產品來說，不同的「恒星熔爐」大致殊途同歸，而組成我們這個世界的大部分元素，都是由此合成的。

為甚麼我說大部分而不是全部呢？原來按照恒星元素合成理論，直至鐵這種元素為止，所有元素都可以在恒星內部「鑄鍊」而成，但比鐵重的元素如金、銀、銅、汞和在核能發電中舉足輕重的鈾等，都不能透過一般的核聚變形成。再一次地，我們遇到好像大爆炸理論中的「合成瓶頸」。

恆星晚期大爆炸生成重元素

幸好，這個理論瓶頸亦很快被打破。天文學家指出，不少大質量的恆星（比較我們的太陽而言）在演化至晚期時，會出現一趟毀滅性的大爆炸，這便是天文學家所稱的「超新星爆發」(supernova explosion)。研究復顯示，這種爆炸所釋放的驚人能量，足以製造出重量（嚴格來說是「原子量」）在鐵以上的各種元素。

令人興奮的是，這項發現不但解釋了「超鐵元素」的形成，更同時解釋了經恆星合成的各種複雜元素，如何能夠離開恆星的內部而散布於宇宙各處。原來，無論是碳、氮、氧還是金、銀、銅等元素，都是經歷超新星的爆炸而被拋射到太空之中的。如此一來，太空中原本只有氫氣和氦氣的瀰漫氣體，逐漸變成化學成分日益豐富的星際物質。雖然從宏觀的尺度看，這些成分還不到宇宙物質的百分之一、二，但它卻足以構成好像地球般的天體，以及好像人類般的生物。

情況已經很清楚了。構成我們身體的元素，除了氫之外，基本上都是由恆星內部的熊熊烈焰經歷億萬年的時間所鑄鍊而成的。筆者實在難以想象，還有別的發現能夠將人和宇宙這般緊密的連結在一起。我們常常說「塵歸塵、土歸土」，可我們從沒想象，「塵」和「土」本質上都是「星塵」，而人類乃是不折不扣的「星辰的兒女」。

有關宇宙的起源和元素（物質）的起源，是現代科學兩項最偉大的成就。但自然界總會不遏地令我們感到謙卑。過去數十年來，一項懷疑逐步被證明為事實，那便是：我們所觀測到的這個物質宇宙，只是整個宇宙的冰山一角。天文學家的觀測與計算皆顯示，要圓滿解釋星系的自轉及相互間的運動，以及解釋時空膨脹正在加速這個意料之外的現象，宇宙中必須存在約68% 我們所知甚少的「暗能量」，以及約28% 我們同樣茫無所知的「暗物質」，而我們所熟知的物質和能量，僅佔宇宙構成的不足5%。誇張的一點說，我們迄今所認識的宇宙，乃由宇宙中的雜質所組成！試想想，還有一個發現會令人類感到更為謙卑嗎？

顯然，甚為成功的大爆炸宇宙理論（以及背後的基礎物理學理論）仍然有欠完備，如何修訂和深化這些理論以符合實測的結果，將是本世紀科學探究的一項重大挑戰。

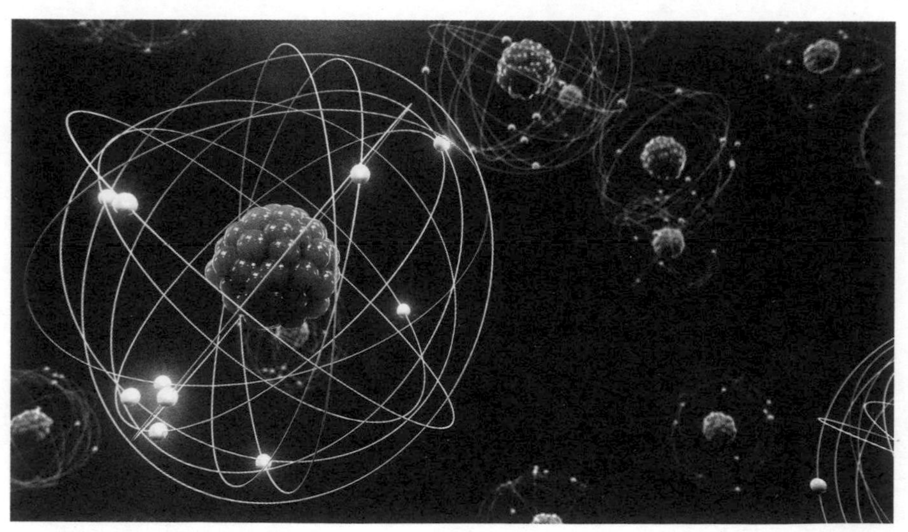

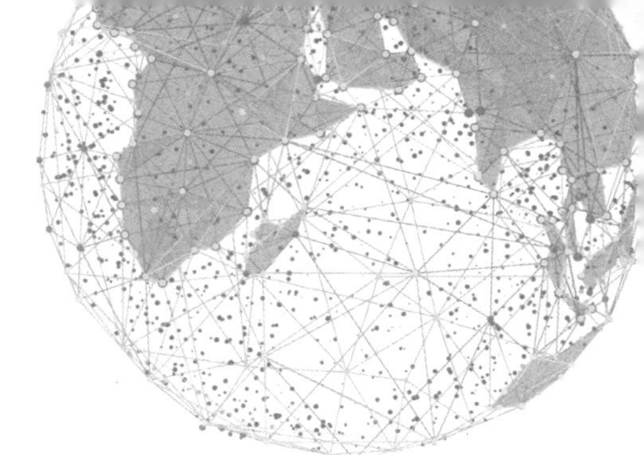

1.3 地球演變 滄海桑田

對於天文學家來說，恆星是他進行研究的最基本單元；但對宇宙學家來說，星系（galaxy）才是他的最基本的研究單元。從人類的角度出發，我們最關心的恆星當然是太陽，而最關心的星系自然是銀河系。

按照宇宙學家的推斷，最早的星系可能於大爆炸後數億年便已形成，但我們的銀河系相對來說是個遲來者，因為它的年齡只有100億歲（即大爆炸後38億年才形成）。至於我們的太陽，便更加是一個相對年輕的天體，因為它年齡不足50億歲，亦即不及銀河系的一半。

我們的銀河系約有3,000多億顆恆星，其中不少較我們的太陽大得多、光得多和熱得多，另一些則較太陽暗淡和年紀老邁。天文學家的研究指出，大質量的恆星耗盡燃料的速度很快，到了末期更會發生超新星爆炸，因此它們是銀河系中重元素的「製造工場」。

按此推論，我們的太陽至少屬於第二代甚至第三代、第四代恆星。也就是說，組成太陽的物質，很可能在較早前的大質量恆星內部備受鑄鍊，然後由超新星爆炸拋射到太空。過了一段時間，這些物質因萬有引力的作用再凝聚成恆星，物質再於恆星的內部鑄鍊，最後再因爆炸被散布於太空。只有這樣，我們才能解釋太陽系內為何有不少好像鐵、鎳（地球核心的主要成分）、氧、矽、鎂、鋁（地殼的主要成分）、以及碳、氮、硫、磷（地球生物的主要成分）等複雜的元素。

太陽系天體或源自同一星雲

這些複雜的元素對我們太重要了！如果創生我們太陽的原始星雲（primordial nebula）只包含著氫和氦，往後的歷史會迴然不同，不會有地球、不會有人類，更不會有筆者寫作這本書，也不會有作為讀者的你在閱讀這一段文字。

天文學家相信，太陽系內的八大行星以及眾多的矮行星、小行星和彗星等天體，都是由同一個原始星雲（比現今的太陽系大很多倍的一團氣體和塵埃）的逐步收縮、旋轉和結聚所產生的。眾多的證據顯示，地球形成至今約為 46 億年。以人類的歷史來說這當然漫長的可以，但從宇宙的歷史來看，則只是宇宙年齡的 1/3 而已。

地球形成之初，地殼仍未穩定，到處都是劇烈的火山活動，熾熱的表面還不斷受到太空隕石的猛烈撞擊，大氣層內主要是氫氣和氦氣，氧氣是一丁點兒也沒有。任何已知的生物被送到那個時空皆必死無疑。假如當年有外星人考察這顆剛誕生的星球，他必須擁有極大的勇氣和前瞻能力，才敢預測它將來會成為一個生機勃勃的星球。

大氣層令地球衍生機

然而，由於地球距離母星（太陽）的距離十分適中，而地殼運動噴發的氣體則賦予地球一個保護性的大氣層（我們稱為次生大氣），所以地球的表面，是太陽系內唯一容許水的固態（冰）、液態（水）和氣態（水蒸氣）同時存在的地方。這種奇妙的平衡，令生命得以形成和滋長，並且能夠經歷地球的無數變化，延續至今。

46億年來，地球的環境確實經歷了無數的變化。首先，遠古的太陽沒有今天的光亮，所以當時地球接收到的太陽輻射較今天的少。可是另一方面，地球形成時的餘溫則較今天的高。還有的是，地球那時的自轉較今天的快很多，而月球跟地球的距離則較今天的近（按照天文學家的推斷，月球乃於地球形成初期，因為受到巨大的天體撞擊而分離出來的一個天體），結果是，在當時形成不久的海洋（次生海洋）之上，潮汐漲退的速度和幅度都較今天的波瀾壯闊得多。

既由於地殼的板塊運動及由此引至的海陸分布變化，也由於地球自轉運動和公轉運動的不規則變化，地球上的氣候亦曾經發生巨大的

變化。在最冷的時候，整個地球幾乎都由冰雪所覆蓋，科學家稱之為「冰封地球」（Snowball Earth）；而在最熱的時候——科學家稱為「熱屋地球」（Hothouse Earth），北極地區充斥著鱷魚和河馬，而全球冰雪的消失導致海平面較今天的高出200米之多。

由於板塊的運動，地球上的海洋與大陸不斷的生生滅滅，例如大西洋今天仍在不斷生長擴闊，而6,000萬年前才形成的喜馬拉雅山則仍在不斷長高。更匪夷所思的是，地球的磁軸指向曾經顛倒多次（平均每廿多萬年即顛倒一次）。古人憑他們敏銳的觀察和想象，提出了「滄海桑田」的說法，「滄海」指大海，「桑田」則泛指農田，用於感嘆世事變化萬千，可是任他們如何想象，也無法領會這種「滄海可變桑田」是如何一種翻天覆地的變化。

最令人驚訝的當然是，生命可以經歷這些大起大跌（包括至少5次大滅絕事件）而延續至今。當然，如果所有生命於中途被毀滅，便不會有我們在這兒談論這個問題了。

1.4 生命的起源和演化

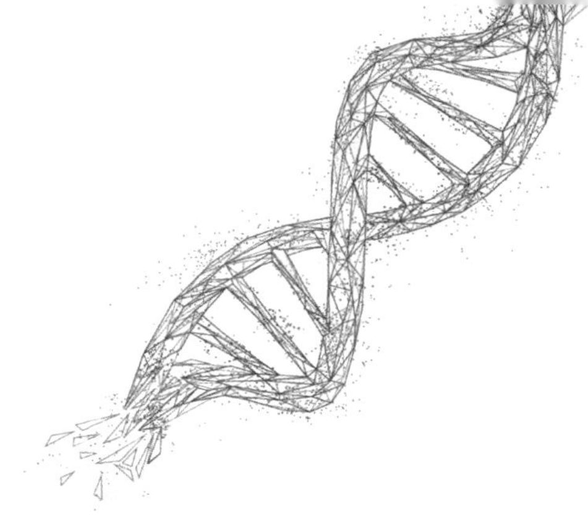

迄今發現的最古老地球生命遺跡，距今足有38億年之久。

很多人以為，單細胞生物已是最原始的生命。但生物學的研究顯示，好像變形蟲或大腸桿菌等單細胞生物，其實已是一種十分複雜和高度發展的生物。在生命形成的初期，必然經歷了一個漫長的「前細胞」階段，而在此之前，還應該有一個「分子演化」的階段，即無機的物質逐步聚合成有機的物質、簡單的有機分子逐步聚合成複雜的有機大分子，而複雜的有機大分子則演化出自我複制能力的演化階段。

即使到了二十世紀初，不少人仍然覺得橫亙在「無生命世界」和「生命世界」之間的，是一道巨大得無法逾越的鴻溝，而「生命起源之謎」，必須訴諸造物者的超自然力量。過去一百年來，情況已經徹底改觀。隨著我們對病毒和病源性蛋白（prion）這些介乎有生命和無生命之間的事物的深入認識，更隨著我們對DNA（脫氧核醣核酸）、RNA（核醣核酸）和蛋白質之間的相互作用、以及有關「自組織」、「自催化」理論的深入了解，今天的生物學家都普遍相信，「生命起源之謎」的完全破解，已是指日可待的事情。甚至有科學家大膽地推測，人類不久即可在實驗室中從無生命物質創造生命。

細胞因互惠共生機制出現

細胞的起源顯然是生命演化歷程中的一件大事。科學家相信，細胞的出現乃基於一種「互惠共生」（symbiosis）的安排，也就是說，今天我們在細胞之內找到的不少「細胞器」（organelle）如線粒體（mitochondria）和葉綠素（chloroplast）等，在遠古時都是獨立存在的生物，只是後來因為互惠的作用而結合在一起。最明顯的證據是，質粒（plasmid）和線粒體等細胞器皆擁有各自的遺傳物質（DNA），它們與細胞核內的染色體DNA（chromosomal DNA）是各自獨立各自承傳的。

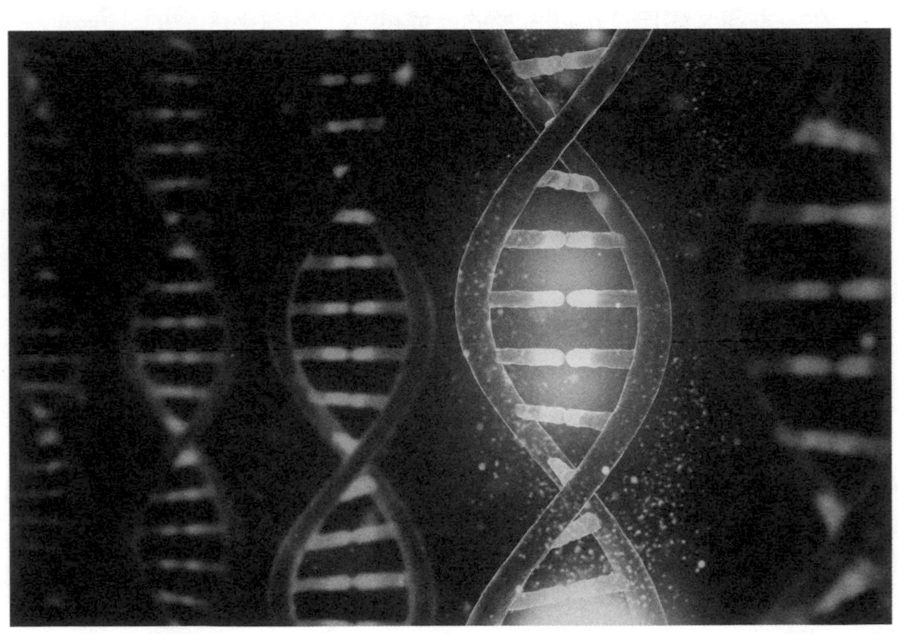

從最微小的細菌到最巨大的藍鯨、從蚊子到信天翁、從螞蟻到大象、從小黃花到參天古木……地球上的生命儘管千差萬別多姿多彩，都由結構相同的氨基酸（蛋白質的基本構成單元）和DNA所組成，而且亦共用同一套DNA轉錄為氨基酸的「遺傳密碼」（genetic code），這當然是地球生命同源的強有力證據。

「生命的演化」是回答「人從哪裡來？」這個大哉問的起始點。就此，英國生物學家達爾文（Charles Robert Darwin）於1859年發表的《物種起源》（*On the Origin of Species*），其意義之深遠，較諸哥白尼的《天體運行論》可謂有過之而無不及。

在一方面，達氏首次以大量的證據確立了地球上生命的「同源」，並曾不斷經歷由簡單到複雜、由單一到多樣、由低等到高等的演化過程。雖然他為了避免爭議而沒有在《物種起源》之中明確提出，但「人類乃由較低等的動物演化而來」這個驚世駭俗的觀點其實已經呼之欲出（他於12年後出版的《人的世系》之中，才正式深入地探討這個問題）。

演化全因遺傳變異

但這只是達爾文貢獻的前半部，更為重要的，是他用以解釋演化歷程而提出的「自然選擇」理論（Theory of Natural Selection），從而打破了自然界中的極度巧妙與和諧（如哺乳動物可以保持體溫不變、蜜蜂採蜜可傳播花粉等）「如果不是來自巧合，便必定來自（造物者的）設計」（英文是by chance或by design）這種非此則彼的二元思考結構。

達爾文提出的「複雜結構和巧妙安排可以來自遺傳變異的淘汰與保留」這個第三種可能性，是人類跳出「巧合論」和「設計論/ 創造論」的框框來認識宇宙運作原理的一趟革命性飛躍。生物學家杜布贊斯基（Theodosius Dobzhansky）一針見血地說：「離開了演化，生物學中沒有一樣東西能夠得到合理的解釋。」（Nothing in biology makes sense except in the light of evolution.）

經過了百多年的研究，我們現在知道，地球生命演化至少經歷了以下數個重大的里程碑：

1. 由沒有細胞核的原核細胞（procaryotic cell）演化成具有細胞核和不少細胞器的真核細胞（eucaryotic cell）；
2. 由單細胞生物演變成多細胞生物；
3. 由無性生殖演變到到有性生殖（即細胞分裂由只有「有絲分裂」（mitosis）衍生出「減數分裂」（meiosis））；
4. 光合作用的演化導致植物的出現，而由此製造的氧氣，令地球大氣層由沒有氧氣的「還原性大氣」（reducing atmosphere）轉變為擁有游離氧氣的「氧化性大氣」（oxidizing atmosphere）；氧氣成分顯著增加的時間約於25到20億年前左右；
5. 大部分生物的新陳代謝方式從「無氧呼吸」（anaerobic respiration）變為「有氧呼吸」（aerobic respiration），適應不了「氧化性大氣」的生物大批死亡；
6. 氧氣在大氣高層受太陽的紫外線撞擊變為臭氧，臭氧層（ozone layer）的形成令地球表面的生物不再受高能的紫外線照射，令結構複雜的多細胞生物可以（特別在陸地之上）獲得長足發展；

7. 約5.4億年前，海洋裡的多細胞生物開始大盛，並發展出多種不同的類別，科學家稱這段時期為「寒武紀大爆炸」（Cambrian Explosion）；
8. 生命最初只存在於海洋，但隨著臭氧層發揮保護作用，生命開始進軍陸地，最初是植物和昆蟲，然後是由魚類演化而成的兩棲類，後者的時間大約在4億年前左右；
9. 兩棲類動物逐漸演化成爬行動物，其中一種大型爬行動物於2.4億年前左右崛起，繁多的種類遍布地球各處，這便是地球歷史上的「恐龍時代」。
10. 約6,500萬年前的一次天體大碰撞（撞擊點在今天的墨西哥境內）導致地球環境劇變，恐龍因而滅絕。隨後哺乳動物興起，主宰地球至今。

1.5 人類的起源

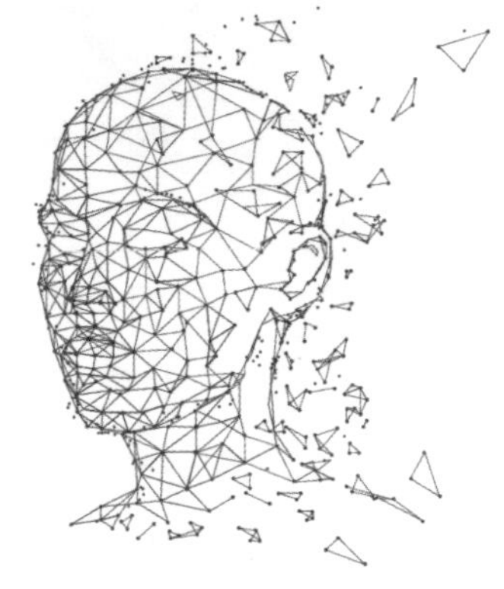

科學家透過「界、門、綱、目、科、屬、種」將地球上的生物逐層分類。人的分類是：動物界（Kingdom: Animalia）、脊脊索門（Phylum: Chordata，及以下的脊椎亞門 Sub-phylum: Vertebrata）、哺乳綱（Class: Mammalia）、靈長目（Order: Primate）、人科（Family: Hominidae）、人屬（Genus: Homo）、智人種（Species: Sapiens）。

人的學名是「智人」（*Homo sapiens*），這是從最後兩個級別「屬」和「種」的名稱組成的，其中 *Homo* 專指「人」，而 *sapiens* 則是聰明的意思。人在「亞種」一級的分類（sub-species）也是 *sapiens*，所以人的全名是 *Homo sapiens sapiens*，中文稱為「現代型智人」。

要探究人類的起源，我們必先認識靈長目動物（Primate）。這種動物包括了現今世上的猴類、猿類、人類以及牠們的直系祖先。（猴和猿的最簡單分別是前者有尾巴而後者沒有。）

恐龍滅絕後靈長目出現

靈長目的遠祖相信在恐龍滅絕後不久便已出現。化石證據顯示，牠們與今天仍然生活於馬達加斯加的狐猴（lemur）相類似。大約3,500

萬年前，這種遠古狐猴演化成「舊世界猴」（「舊世界」指亞、非、歐大陸）與「新世界猴」（「新世界」指南、北美洲）兩大分支，而前者，是今天的舊世界猴、猿類和人類的共同祖先。

大約2,500萬年前，猿類和人類的共同祖先與「舊世界猴子」首先分家（所以說「人類是由猴子變成的」完全有違科學，我們和猴子只是「遠房親戚」）。大約2,000萬至 1,500萬年前，長臂猿與「大猿（The Great Apes）和人類的共同祖先」分家，也就是說，合稱為「人科」生物（Hominidae）的「大猿和人類的共同祖先」出現至今約1,500萬年，還不到恐龍滅絕至今時間的1/4。

現存的大猿主要分為大猩猩（gorilla）、黑猩猩（chimpanzee ，也包括倭猿bonobo apes）和褐猩猩（orang-utang，學名是猩猩，又俗稱紅毛猩猩）三大類。結合了化石和基因分析的最新的研究顯示，褐猩猩的祖先分支得最早，大概在1,500萬年前；大猩猩的祖先次之，大概在900萬年前；而黑猩猩的祖先與人類的遠祖，則在700萬年前左右才分道揚鑣。除了褐猩猩的祖先離開了非洲抵達亞洲的東南區域（今天的馬來半島和婆羅洲），其餘的人科生物都仍然以非洲為家園。

直立行走最早發展

在眾多的人類特徵之中，直立行走（bipedalism）發展得最早，大概已有500至600萬年的歷史。但這些人類遠祖（稱為南方古猿，

Australopithecus）的腦容量與今天的大猩猩黑猩猩等其實相差不遠。然而，隨著雙手的釋放，牠們應已懂得運用自然界的各種材料以作為覓食的工具。(今天的黑猩猩也偶有使用工具的習慣。)

至於大量石器工具的熟練製作，還有待二百多萬年前出現的最早「人屬」（*Homo*）生物：「能人」（*Homo habilis*）和「匠人」（*Homo ergaster*）便是其中的兩個代表。但即使到了這個階段，人類的腦容量仍只有700至750毫升，亦即等於現代人的一半左右(平均為1,300 至1,450毫升)。

自190萬年前開始，古人類（嚴格來説是「人屬」族類）的遺跡亦開始在非洲以外的地方出現。例如在中國河北省出土的一些石器工具，便足有136萬年的歷史。山西省的一個遺跡，更包含著人類用火的最早證據。科學家把這些古人類稱為「直立人」（*Homo erectus*），他們最大的特點是腦容量已經增加到1,000毫升的水平。較著名（因為最早被發現）的「直立人」包括了距今70萬年前的「爪哇人」（Java Man），和距今50萬年前的「北京人」(Peking Man)。研究顯示，火的使用已成為「北京人」日常生活的一部分。

有一段時間，科學家認為「直立人」是繼往開來的一個演化階段，亦即是「能人」等的後代，是「智人」的祖先。但自上世紀八十年代開始，科學家透過了基因分析指出，現代人（*Homo sapiens*）實起源於非洲，並且直至20 至25萬年前才離開非洲大陸散布各地。這個「源自非洲」（Out-of-Africa Theory）的理論曾在古人類學界引起了巨大的爭議，但過去數十年來，由於證據日益增加，這個觀點已為科學界所普遍接受。(這個理論又稱「夏娃理論」(Eve Theory),因為分析主要基於只會遺傳自母親一方的「線粒體基因」而得名。)

人的世系:由能人至現代型智人

今天的觀點是,「直立人」雖然頗為成功,但最後沒有留下後代,是人類演化歷程上一支滅絕了的旁支(所以「北京猿人」並非中國人的祖先)。今天較普及的一個假設是,人的世系是:「能人」(生活於210萬至150萬年前)→「匠人」(生活於190至140萬年前)→「前人」(*Homo antecessor*,生活於120至80萬年前)→「海德堡人」(*Homo heidelbergensis*,生活於70至30萬年前)→「早期智人」(archaic *Homo sapiens*)→「晚期(現代型)智人」(modern *Homo sapiens*)。

這兒實有一個矛盾,「海德堡人」是70至30萬年前居住在歐洲的一種古人類,如果「非洲起源論」正確,他應與現代人類(20至25萬年前才離開非洲)無關。但在型態上,「海德堡人」既具有「直立人」的特徵,也確有早期智人的特徵,所以一些科學家認為他是一種過渡型態,這在年代上顯然有矛盾之處。

其中一個理論是,原始「海德堡人」的一支在60、70萬年前離開了非洲而抵達歐洲,但最後沒有留下子嗣。而留在非洲的一支,則慢慢演化而成後來的智人。

另外一種滅絕了的古人類,是年代上晚近很多的「尼安德特人」(*Homo neanderthalensis*),簡稱「尼人」。這種出現於約25萬年前,而到3萬年前才消失的古人類不但懂得用火和擁有雛形的文化，而且平均腦容量較現代人還要高。不少科學家認為，他的滅絕與現代智人的崛起有關。近年的研究顯示，現代人的基因當中，約有約3%至4%與「尼人」的相同，表示在智人把這種古人類趕盡殺絕之前，曾經有一段時間與他們並存和交配。

近年的研究顯示，智人離開非洲大陸的遷徙並非一次過，而是一浪接一浪的，而最重要的一次可能在7萬年前左右。大約到了4.5萬年前，歐洲出現了型態上跟現代人差不多沒有分別的「克羅馬農人」（Cro-Magnon Man），並且在現今法國和西班牙等地留下了惹人遐思的洞穴壁畫。藝術創造使我們對「人」的追尋提升到一個新的境界，洞壁上大大小小由顏料圍繞著的手印，令我們可以首次與古人類進行某種心靈上的交流，促使我們對「人」的追尋提升到一個全新的境界。

就在克羅馬農人在歐洲興起的同時，另一支古人類已經長途跋涉翻山渡海抵達澳洲，他們便是今天澳洲原住民的祖先，約5至6萬年前抵達澳洲。

大約1.3萬年前，另一支人類藉著冰河紀令海平面大幅下降，徒步從亞洲的最東端進入北美洲，並在不足一萬年之內遍布南、北美洲。

除了南極洲外，最後被人類定居的地方是南太平洋的眾多島嶼，其中一些（最大的是紐西蘭）要到中國的南宋時期才迎來了第一批人類住客（白人到達時遇到的毛里族）。

今天的人類　演化的倖存

筆者之所以不厭其煩地縷述人類演化的歷程，是想指出十分重要的一點：人類的出現並非一個單一的、直線的過程，而是一個極其複雜和曲折的過程。其間不少時間有多於一種古人類在地球上生活，而不少存在了數十萬年之久的古人類最後在時間洪流中湮沒。

就以生活於300、400萬年前的南方古猿為例，曾經並存的便有南方古猿「纖細種/非洲種」、「粗壯種」和「包氏種」等。化石證據亦顯示，早期的智人曾經與「直立人」並存，而晚期的智人則曾經與「尼人」並存。最新的發現是，5至7萬年前，一種身高只有1米多一點的矮小古人類，曾在印尼的島嶼之上繁衍。他們的學名是「佛羅勒斯人」（*Homo floresiensis*），但基於他們的身形，又被暱稱為「哈比人」（小說《魔戒》中的人物）。

另一項發現是，一種被稱為「丹尼索瓦人」（Denisovan）的古人類，曾於3至5萬年前居住在西伯利亞的阿爾泰山區域，雖然他們在體形上較為正常，但特徵與智人和尼人皆都有所不同，也就是說，直至5萬年前，地球上不是有一種而是四種古人類（智人、尼人、佛人、丹人）並存。

這些發現是發人深思的。就算我們不相信宗教裡的創世神話，我們自稱為「萬物之靈」（英文是 Crown of Creation），已隱隱包含著我們的出現是宇宙演化上的一種「必然」這個看法。但事實告訴我們，今天存在的「人類」，只是眾多古人類演化上最後倖存的一支，而且有如唐太宗李世民一樣，我們很可能是（有意或無意地）消滅了其他的兄弟（或至少是表兄弟）才登上「萬物之靈」的寶座。

對於一些人來說，筆者迄今所說的，都不過是形而下，即是已成形的科學知識，與我們所真正關心「人的處境」這個形而上的課題毫不相干。我對此是絕不苟同。讓我們從這個角度看看：我相信所有關心「人的處境」的人士，都不會認為人類過去數千年的歷史與這個課題毫不相干吧？然而，大家有沒有想過，單單透過5、6千年的歷史來認識人類，就等於透過一天的相處來認識一個人那樣不足呢？

對於「人從哪裡來？」這個問題，我們的探索到此暫告一段落。不過，在往後的篇章裡，還會從不同的角度回到這個問題之上。現在，讓我們先從不同的角度，看清一點人類在宇宙中的地位究竟為何。

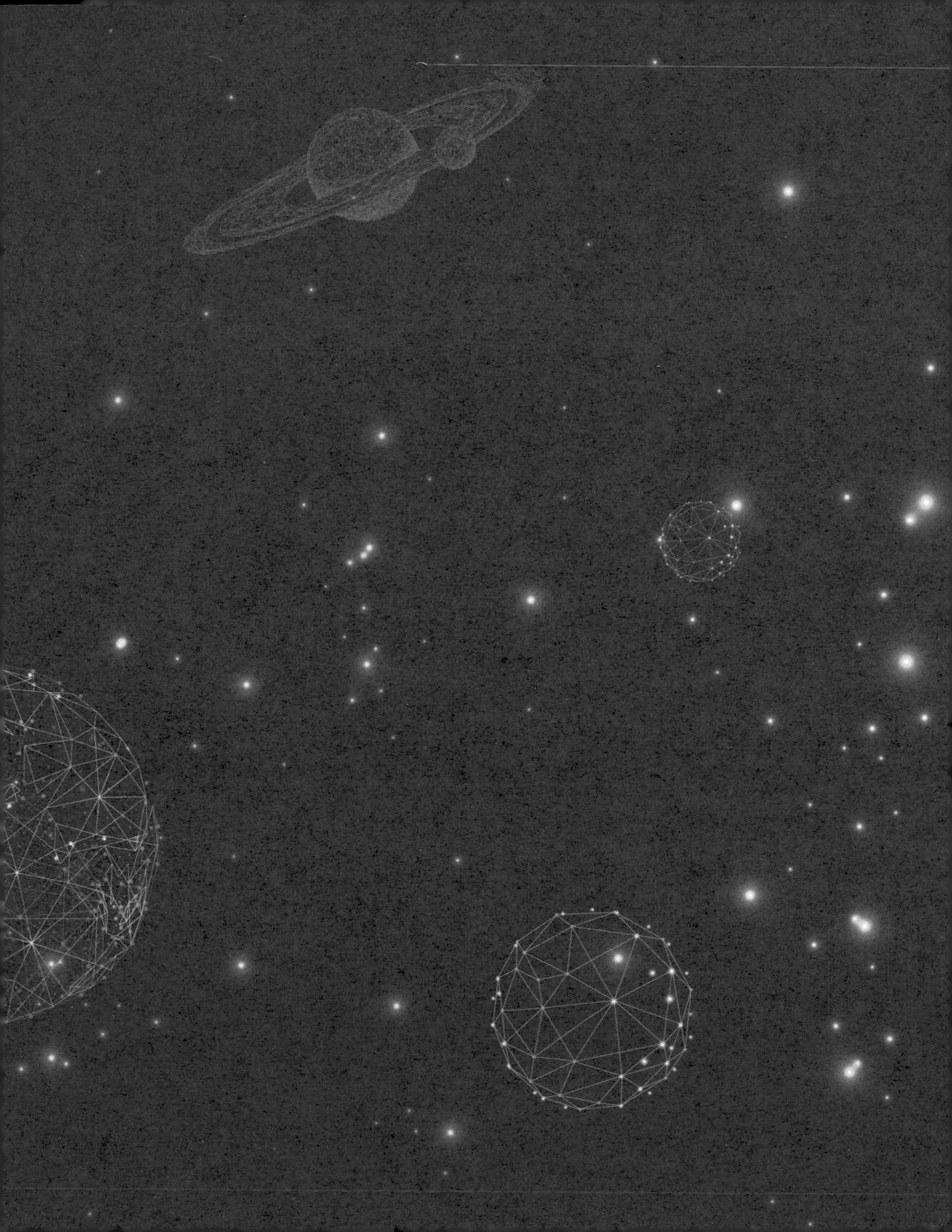

2

浩瀚宇宙　人在何處？

2.1 人類在空間中的位置

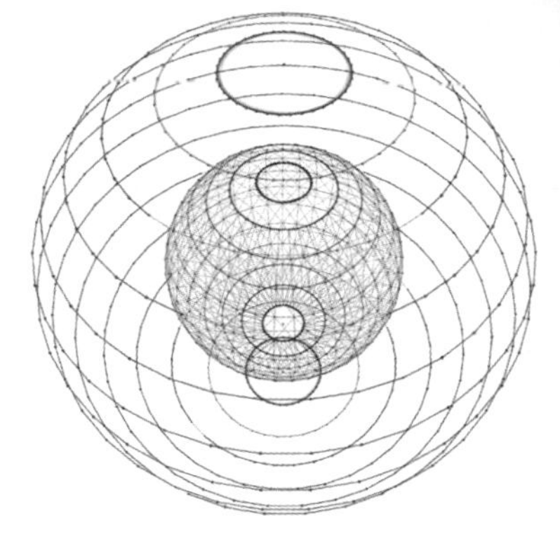

相比起螞蟻，我們是龐然巨物，而相比起細菌，我們更儼如整個宇宙。但朝著另一個方向考察，我們在喜馬拉雅山面前便有如螞蟻般渺小，相對整個地球而言就更如肉眼看不到的細菌。

地球是人類的家，平均直徑是12,742公里，圓周是4萬公里多一點。這究竟有多大，讓我們算算看：以平均時速100公里的汽車環繞，理論上需時17日；以時速1,000公里的飛機環繞，則需要40小時。對於處於低軌道的太空船和人造衛星，這個時間可被縮短為90分鐘。這差不多是實物環繞地球的最短時間，因為把軌道降低以縮短時間的話，太空船與高層大氣摩擦會引發巨大的阻力甚至燃燒。

當然，這只是以環繞地球一周計算。就算以現時最大的客機A380來進行，所過之處也只不過是地球上的一條線。地球的面積有多大？就以台灣作例子，你猜我們要花多少時間，才可以遍遊整個台灣？接著，請你找來一個地球儀，看看台灣佔地球面積的百分之幾？如此一來，你便會開始領略世界究竟有多大。(筆者雖然家在香港，但香港實在太小了，拿來作比較沒啥意思。)

然而，太陽的直徑是地球的109倍，體積是地球的130萬倍。如果你認為這已超乎想象，天文學家的研究告訴我們，宇宙間有一些恆星的直徑是太陽的1,000倍以上，也就是說，假如我們用一個籃球來代表這些恆星，那麼我們就是用放大鏡也難以找到太陽在哪兒。如果把這些星體放到太陽的位置，地球甚至離太陽更遠的火星也會被它們龐大的軀體所吞噬。

銀河系直徑10萬光年

地球和太陽的距離是1.5億公里，以時速1,000公里的飛機要飛17年，若以載人的太陽神太空船（Apollo spacecraft）所曾達到的最高速度（約時速4萬公里，等於地球上音速的33.5倍）飛行，跨越的時間為156天。

光線在真空中以每秒30萬公里行走，是宇宙中最高的速度。光一秒內可以環繞地球七周半，跨越日、地距離要8 分20秒，抵達冥王星（過往曾被認為是太陽系的邊緣）則需要近6小時。今天我們知道，太陽系的延伸，實較冥王星所在的位置遠得多。按照一些天文學家的推斷，太陽系的最外圍（稱為「奧爾特雲」區域），離太陽足有「一光年」之遠。

一光年就是光在一年內所走的距離，這是天文學家慣用的單位。按此單位，與太陽最接近的另一顆恆星是離我們4.3光年的半人馬座南門二（Alpha Centauri），我們銀河系的直徑約為10萬光年，而現時人類探測到最遙遠的天體離我們約135億光年。

這些距離不用說已超乎我們的理解甚至想象。就拿銀河系的10萬光年為例，假如銀河系的邊緣出現了一個高度發展的科技文明，而他們以無線電波（速度是光速）向宇宙發出友好的訊息；再假設在銀河系的另一端也剛好有另一個高度發展的文明，他們在收到訊息之後立即回覆，那麼請大家計一計，首次發出訊息的文明，前後要等多久才收到這個回覆呢？答案當然就是無線電波跨越銀河系兩次的20萬年。這個等待是無論如何也縮短不了，因為光速是宇宙中的速度極限。

人比滄海一粟更卑微

宇宙就好像一部時光機，由於光速的限制而展露著過去不同年代的面貌：我們看見的月亮是數秒前的月亮、太陽是8分多鐘前的太陽、南門二是4年多前的南門二、織女星（離我們25光年）是25年前的織女星、仙女座大星系（離我們250萬光年）是250萬年前的仙女座大星系……至於此刻的月亮、太陽、南門二、織女星等等是怎樣的一種情況（甚至是否仍然存在），我們永遠也無法得知。

我們常常以「滄海一粟」以形容某一事物的渺小，但在無比浩瀚的宇宙中，人類的位置顯然比滄海一粟還要卑微得多。1990年初，由美國太空總署於1977年發射的航行者1號探測器（Voyager 1）已經完成探測木星和土星的任務，並正在離開太陽系朝向無盡的恆星海洋進發。在天文學家卡爾•薩根（Carl Sagan）的極力慫恿下，太空總署的控制人員把仍然運作良好的攝影機鏡頭，重新轉動指向太陽的一方。就是這樣，人類拍攝到迄今距離最遠的一張自拍像（即今天風行全球的selfie）。

即使以光速也要經歷5個多小時才傳抵地球的這幀照片中，地球在太陽的光芒照耀下，就像一顆飄浮在太空中的微塵。薩根在他的著作《蒼藍的小點》（*Pale Blue Dot*）之中這樣寫道：

「請再看看那個小點，它就是我們身處的世界，是我們的家鄉，是我們本身。我們愛過、相識過、或曾經聽聞的每一個人，以及所有存在過的個體，統統都生於斯死於斯。我們一切的悲歡離合、數以千種唯我獨尊的宗教、五花八門的意識型態、各執一詞的經濟教條、及至每一個獵人與採集者、每一個英雄與懦夫、每一個文明的締造者和毀滅者、每一個帝王與平民、每一對熱戀的情人、每一個眠乾睡濕的父母親、眼裡滿載著希望的孩子、發明家與探險家、古哲先賢、腐敗的政客、舞台上的超級巨星、至高無上的英明領袖、以及我們族類歷史上出現過的每一個聖人與罪人，都生活於這一顆在陽光下浮懸著的微塵之上。」

在筆者看來，這是有關人類處境最震撼和感人的一趟描述。

人類體積在宇宙與原子之間

所謂比上不足、比下有餘，人類面對宏觀宇宙固然渺小得可以，但原來在我們以下，還存在著一個超乎我們想象的超微觀宇宙，這便是組成物質的電子、質子、中子和更深一層的夸克子（quark）等基本粒子（fundamental particles）世界。如果我們考察恆星和原子這兩種宇宙的基本單元，那末人便剛好介乎兩者之間：單以長度計算，恆星比人大數十億至數百億倍，而人則比原子大數百億至數千億倍。

從某一個角度來看，微觀宇宙比宏觀宇宙更為神秘，因為它每一刻都在我們眼皮底下展現，但我們對它卻茫無所知。須彌山是佛教傳說中位於世界中心的一座大山，佛經裡有「須彌藏芥子，芥子納須彌」這種玄妙的說法，也就是宏觀宇宙既可藏納微觀宇宙（芥子是一種非常微小的植物種子），而微觀宇宙也可以藏納宏觀宇宙的意思。在現代物理學中，科學家也遇到類似的境況，那便是要解釋宏觀宇宙的起源和演化，我們必須尋幽入微，透徹了解微觀宇宙的法則；而要揭露微觀宇宙的奧秘，我們則必溯流而上，追尋至宇宙洪荒時空肇始的那一刻。

也就是說，在我們努力參透宇宙奧秘的道路上，「最大」和「最小」構成了微妙的對立與統一。借用我國道家的陰陽圖像，就是你中有我、我中有你。

2.2 宇宙年曆

人類除夕「出生」

上一章節討論的是人類在空間中的位置，以反映人類的渺小。至於人類在時間中的位置，我們在第一章「人從哪裡來？」之中已多次提及。但為了凸顯人類在時間洪流中的短暫，讓我們來建構一個「宇宙年曆」。

我們若把宇宙138億年的歷史壓縮為一年，那麼宇宙誕生的一刻（大爆炸）是元旦日的0時0分0秒，而我們身處的這一刻，則是12月31日的子夜12時正。

好了，現在讓我們看看宇宙演化其間的各個里程碑。爆炸後的一瞬間，最初的物質氫和氦經已形成。約於1月中旬，最古老的星系和恆星開始出現。我們的銀河系是一個遲來者，因為它的形成時間約為5月11日。我們的太陽系則形成得更晚，要到9月1號才出現，而地球也大約在那個時間形成。

地球上最古老的生命約於9月21日出現，光合作用的起源是10月12日，大氣層中氧氣的顯著增加是10月29日左右。

説起來令人難以置信，多細胞生物的出現，已經把我們帶到這一年的最後一個月！第一章提到的「寒武紀大爆發」，是12月中旬的事情。魚類的興盛始於12月18日，兩棲類的出現是12月22日，而爬行類的出現則是一日後的12月23日。

恐龍統治了地球差不多1.5億年，但在這個「年曆」中，這段時間只是由聖誕節的12月25日延伸至12月30日罷了。30日那天的一趟隕石大碰撞，將恐龍推上了絕路。往後的一日即大除夕12月31日，地球迎來了各種猿類的祖先，而人類祖先（最早的「人屬」生物）的出現，則已是當天下午2時後的事情。

近代文明至今存在不足一秒鐘

人類懂得大量製造石器工具是大除夕晚10時半，懂得用火是11時44分，而進入農業社會則只是最後的一分鐘即11時59分32秒的事情。

中國的漢、唐盛世與西方的羅馬帝國出現於11時59分55秒，鄭和下西洋與哥倫布的航程是59分58秒，而工業革命的出現是59分59秒。也就是說，我們所熟悉的近、現代文明，存在的時間還不足一秒鐘。

有人曾經作過一個這樣的比喻：如果我們把雙臂張開以代表宇宙的時間跨度，則我們只要拿出一個小小的指甲銼，並在代表「這一刻」的中指指端的指甲上輕輕一銼，那麼人類的歷史將完全被刪掉。

情況已經十分清楚了，無論在空間上還是在時間上，人類都渺小得微不足道。

直至今天，仍然有人將恐龍看成為一個失敗的族類。這當然是非常可笑的一個觀點。恐龍統治地球接近1.5億年，比起人類的興起（即使以最寬鬆的500萬年來計算）長了足足30倍時間，除非我們可以延續超過1.5億年，否則我們沒有資格嘲笑恐龍。

相反，如果我們在短期內因為天災（如另一次天體碰撞）或人禍（如世界大戰）而滅絕，則我們在宇宙的長河中就會如朝生暮死的蜉蝣，或甚至是河面偶然出現的一串較為漂亮的氣泡，轉眼便消失在時間洪流之中。

時間的「剎那」與「永恆」

正如空間有宏觀宇宙和微觀宇宙的區分，若以人的一生作為標準，時間也有「剎那」和「永恆」的分別。

這兒說的「永恆」當然只是一個相對而非絕對的用詞，因為對於匆匆數十寒暑的人生（就算就朝一日，人類都能活到現時一些人樂觀估計的200歲），1萬年（愛情小說和電影中所說的「愛妳一萬年」）已經和永恆沒有多大分別，更遑論100萬、1,000萬、1億或更長的時間。

同樣，「剎那」並非真正「零時間」的「一刻」，而只是遠遠低於我們的感官和意識所能感受的時間段落。一個最簡單的例子，是電影播放的原理，因為只要畫面的變化速率（以前是菲林轉換的格數，現在是掃描更新的速度）高於每秒24次的話，人類的肉眼（嚴格來說是大腦的視覺系統）看起來便和連續的變化沒有分別。當然，隨著科技的進步和體育競技的日趨激烈，現時無論是跑步還是游泳的最快紀錄，都已經要以百分之一秒來定奪。但對於真正的「剎那世界」，百分一秒還是等於永恆。

一支強力步槍的子彈穿過一個大西瓜只需時千分之一秒，但今天最快的電腦，運算的速度已經超過每秒1,000億個指令，亦即每個指令的完成只需千億分一秒。然而，這比起最快的化學反應還是差了一大截，這些反應可以在千萬億分之一秒（femtosecond）內完成。「千萬億分一秒」有多短暫？如果我們以它跟一秒鐘相比，那便等之於一秒鐘比諸3,200百萬年。

很明顯，正如我們無法理解和想像億萬年的歲月，我們也無法真正想像和理解億萬分一秒的剎那。科幻小說作家羅伯特 • 佛華（Robert L. Forward）曾經寫過一本名叫《龍蛋》（*Dragon's Egg*, 1980）的小說，描述人類在一顆中子星(neutron star)的表面找到一些超微型的外星人。由於中子星表面的核子反應較化學反應快得多，在人類的啟蒙和教導下，這種外星人在一兩個月內便經歷了有如人類數千年的文明演化，最後更在科技上把人類遠遠拋在後頭。

中國的神話傳說中有所謂「山中方一日，世上已千年」的玄妙說法，但說的是「仙界」和「凡間」（即人類世界）的分別；在這本科幻小說中，人類卻是扮演了「仙界」的角色。

2.3 人在生物世界的地位

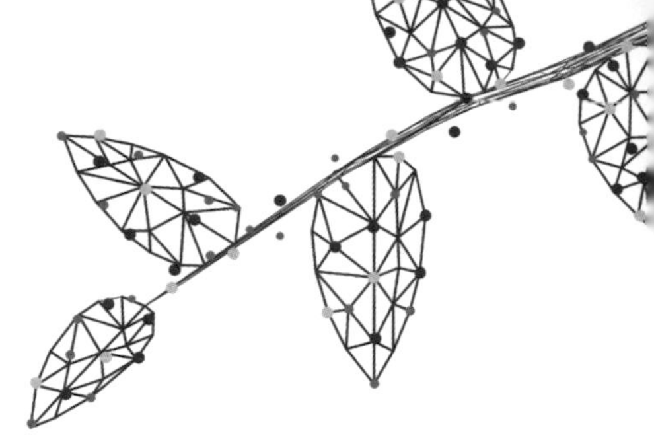

地球是我們現時所知唯一孕育著生命的地方。

地球上的生物有多少種？除非你是一個動物學家或植物學家，否則你要是能夠舉出一百種動物名稱或一百種植物名稱，已是十分了不起的了（筆者肯定不能）。但即使在達爾文的年代，生物學家已經推斷地球上的物種（species）數目，可能達於百萬之數。到了今天，最新的推斷是接近800萬種，一些學者更認為有機會超過1,000萬種。

誠然，上述的數目中有一大部分屬微生物，也有不少是昆蟲。但就以我們較為熟悉的生物計算，科學家已作分類的雀鳥至少有一萬種，而未充份記錄的也可能有一萬之多。與人類同屬哺乳類的動物有近6,000種，而與我們同屬靈長目的動物則有300多種。

也就是說，人類是地球上800萬種生物、6,000種哺乳動物、和300多種靈長類動物中的一種。我們在上一章看過，他的基本分類為：動物界、脊索門、脊椎亞門、哺乳綱、靈長目、人科、人屬、智人種。

我們亦看過，猿類和猴類的祖先約於3,500萬年前分道揚鑣，而人類、黑猩猩、大猩猩的共同祖先，則約於1,500萬年前與褐猩猩的祖先分家。接著下來，人和黑猩猩的共同祖先約於900萬年前與大猩猩的祖先分家，而到了最後，人類的祖先和黑猩猩的祖先約於700萬年前分道揚鑣。

人的基因大致與黑猩猩相同

以上是演化上的親緣關係。廿一世紀初，科學家成功地建立了人類和一些其他動物的基因圖譜（genome），分析的結果顯示，人類的基因當中，有98.8%的與黑猩猩相同。

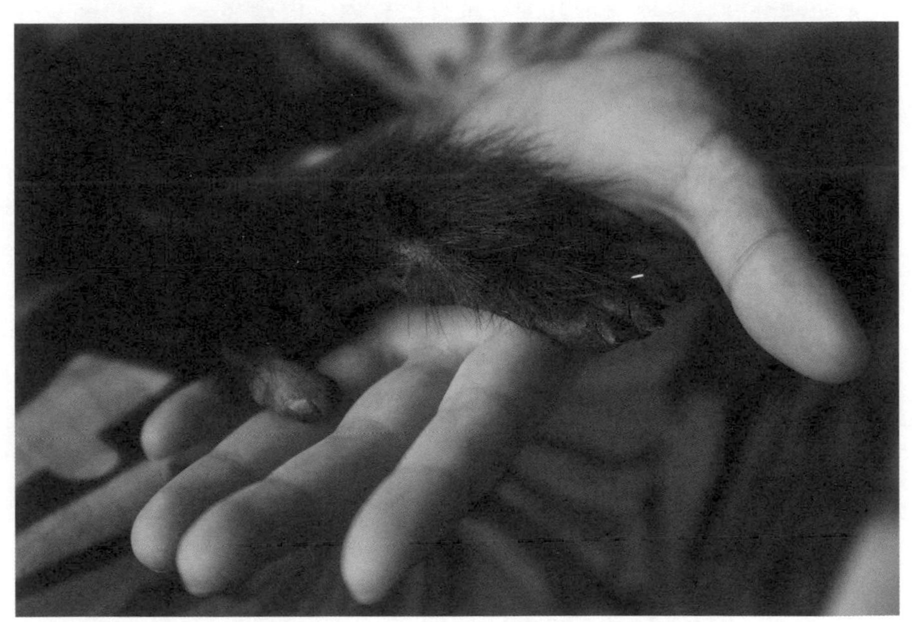

很多人得悉這個結果後的即時反應是難以接受。作為「萬物之靈」的人類，怎可能與黑猩猩這種動物只有0.2%的基因差別呢？我不知道以下的結果對大家會是一種安慰還是更大的震撼，原來按照科學家的進一步研究，人類的基因有88% 與老鼠相同、有2/3的與雞相同、有

1/4與葡萄相同。不用說，這是地球生命同源的結果，也反映出大自然是「節儉」的：即使經歷億萬年的演化，有用的基因會被保留並一用再用，而生物界的推陳出新，只是在這個基礎之上不斷作出變化罷了。

科學家的另一項研究結果，可能更為發人深思。在高等的靈長動物之中，我們很自然會把黑猩猩、大猩猩和褐猩猩劃分在一邊，而把人類劃分到另一邊。但基因分析告訴我們，這樣的劃分是錯的。就基因上和演化上的親緣關係而言，人、黑猩猩和大猩猩應該劃分在一邊，而褐猩猩則孤獨地被劃分到另一邊。也就是說，我們跟黑猩猩大猩猩之間的關係，較黑猩猩大猩猩和褐猩猩 之間的關係來得更為密切。

與黑猩猩及大猩猩分道演化

然而，凡事都有多種層次。在不少生理特徵和生活習性方面，700萬年的演化確實令我們與黑猩猩和大猩猩這些大猿有很大的分別。按出現的大致次序，這些分別包括：

1. 直立行走：(最初應該是為了更好地在非洲大草原上看到周遭潛藏的危險) 和兩手的釋放；
2. 經常性的工具製造 (雙手釋放所提供的機會)；
3. 體毛的大量喪失 (相信為了幫助在草原上活動時的散熱)；
4. 大腦容量的增加 (與工具運用和社交活動日趨複雜有關)；
5. 牙齒的變小 (相信和群落中的協作大幅增加 — 即暴力競爭減少 — 有關)；

6. 單一配對（一夫一妻制）的興起和兩性體形差異（sexual dimorphism）的減少，這相信和特長幼兒期（prolonged childhood dependency）和需要長時間的父母共同照料（co-parenting）有關；
7. 雌性發展出「隱蔽性排卵」（concealed ovulation）和全年無休的交配期（year-round receptivity）（相信和維繫上述的「單一配對」關係有關）；
8. 性前戲延長、面對面性交和私隱性交（private sex）等性行為上的改變；
9. 火的使用和熟食的習慣（大大提高了人類可以攝取的營養；也讓人類有更多時間和精力來從事覓食和消化（即維生性活動）以外的各種活動，包括社交活動和文化創作）；
10. 語言的出現；
11. 衣服和居所的出現；
12. 精神世界的躍升。（3萬多年前的洞穴壁畫；一萬多年前包含著鮮花、顏料甚至飾物的人類殯葬。）

猿類智慧較推斷的高

但在另一方面我們也必須指出，以前一些以為只限於人類的行為，近年陸續被生物學家的野外研究所發現。它們包括協作性的群體狩獵行為（黑猩猩會偶然獵食猴子甚至幼小的羚羊和野豬等動物）、族群之間的有組織的暴力衝突（爭奪地盤的部落戰爭）、甚至謀殺（數頭黑猩猩將異族的一頭黑猩猩攔截和殺害）等。《聖經》中所謂的「原罪」（包括該隱殺死自己的弟弟）並不獨限於人類。

與此同時，大量的實驗室研究顯示，猿類的智慧比我們以前所推斷的高得多。牠們解決問題的方法顯示出牠們擁有想像力和推理的能力，牠們能夠認出鏡中的自己，也能透過手語（美國通用手語ASL）組合成有意義的句子與人類溝通。而與人類一樣，牠們也會情緒低落甚至患上精神病。

顯然，傳統觀念中的「人禽之辨」已被科學研究所模糊。我們是一頭十分聰明和非常獨特的猿，但這並不改變我們是一頭猿這個事實。1967年，英國動物學家莫里斯（Desmond Morris）發表了《裸猿》（*The Naked Ape*）一書，首次以純動物學的角度來描述人類的習性與行為；1991年，美國學者戴蒙（Jared Diamond）則發表了《第三種黑猩猩》（*The Third Chimpanzee*），書名是用以突出（按作者的觀點）在生物的層面，人類只不過是黑猩猩和倭猩猩這兩個品種以外的「第三種黑猩猩」而已。對黑猩猩的行為甚至心理世界研究得最深入的兩位科學家是珍•古德（Jane Goodall）和弗蘭斯•德瓦爾（Frans de Waal），兩人的研究是任何關心「人類處境」的人所不能忽視的。

接著下來一個極其重要的問題是，這頭獨特的「裸猿」或「第三種黑猩猩」的出現，在萬物的演化上是一種必然還是偶然呢？

從嚴謹的科學角度，這是一個無法解答的問題。因為就我們現時所知，「人」這頭擁有高等科技和高度自省能力的「裸猿」是「只此一家，別無分店」，所以我們無法從統計上分析這種生物出現的或然率。有人曾經提出，如果6,500萬年前那顆太空隕石與地球只是擦身而過，則今天的地球可能仍然是恐龍的天下。

然而，那顆隕石沒有擦身而過而是撞過正著（科學家已經找到凶案現場：中美洲的尤卡坦半島和鄰近的海底）。恐龍的滅絕令哺乳動物中的靈長目得以蓬勃發展，最後產生出你和我。我們有多麼珍貴？物理學家喬治 • 蓋莫夫（George Gamow）意簡言賅地說：「宇宙花了不出一小時便製成了原子，用了數億年製成了恒星和行星，卻要花上數十億年的時間才產生出人。」

2.4 萬物之靈擁有靈魂嗎？

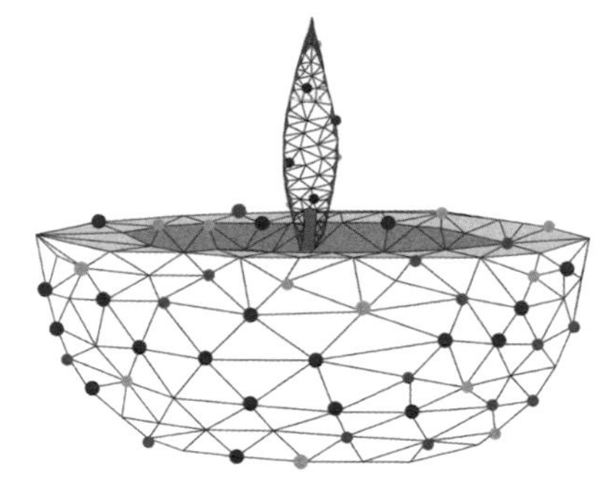

終於，我們到了人為「萬物之靈」中至為重要的「靈」這一點之上。

一個簡單的出發點是，如果世上所有人都變成植物人而且永遠醒不過來，那跟人類滅亡了可說沒有分別。也就是說，我們所關心的、珍惜的「人」，當然是指清醒的、有意識的人。

「意識」是一個大得無可再大的題目，因為沒有了意識，便不會有這本書的存在，也不會有你在看這本書，更不會有「人的處境」這個提問。

「意識」也是宇宙間最神秘的一個題目。請試想想，一個剛死去的人與他未死前的一刻有甚麼分別呢？從物質結構上來說幾乎沒有分別，但一個是有生命、有意識的，另一個則是無生命、無意識的。也難怪單從直觀出發，人類的祖先皆認為生命和意識是「超乎物外」的東西，而在《創世紀》中，耶和華向著祂用泥土創造出來的阿當的鼻孔吹的那口氣，正是這種賦予生命和意識的「靈氣」，一般人稱之為「靈魂」。

就是這樣，世界各個古代民族都信奉某種「靈魂學說」。即使到了今天，不少受過高深教育的人，都暗地裡相信靈魂的存在。

相信靈魂或源於安慰

依筆者所見，這種相信其實基於一種強烈的「想信意願」(will-to-believe)。這種意願有兩個源頭，一個是害怕自身的死亡和對永生的追求（兩者當然是一個銅板的兩面）；而另一個則是對死去親人的極度不捨。試想想，假如靈魂可以獨立於身軀存在，那麼死亡的只不過是我們（和我們親人）的軀體，而具有某種意識甚至懂得喜怒哀樂的靈魂仍會長存於世上（這當然是靈魂學說的核心），這對我們來說不是一種極大的安慰嗎？

如果我告訴大家，筆者也是一個肯定靈魂存在的人，大家必然會感到極其詫異。事實是，我一方面充份肯定人類的動物性，可另一方面也深深覺得人的智慧、感情和內省的能力，與動物之間（即使與我們最親近的黑猩猩）存在著一個質的飛躍。要以一個詞來概括這種「高度發展的智慧、感情和內省能力」，我認為「靈魂 」是最好不過的選擇。(留意我說「質的飛躍」而不是「不可逾越的鴻溝」，因為這道鴻溝顯然已被跨越了。)

但我支持的這個「靈魂學說」與傳統的靈魂學說有一個關鍵的分別，就是我相信靈魂是物質演化至某一形態的產物，因此不可能脱離物質的基礎存在。也就是說，肉體的消亡也意味著靈魂的消失，所謂「靈魂不滅」是一種自欺欺人的妄想。我知對大部分人來說，沒有「靈魂不滅」的「靈魂學說」根本便不是靈魂學說，這是一個我會留待各位讀者自行定斷的定義問題。

在未進一步探討「意識」和「靈魂」的本質前，讓我們先作一個簡短的歷史回顧。在一段很長的時間裡，我們的祖先不但相信靈魂的存在，更將人類的意識投射到自然界的各種事物。於是，石有石妖、樹有樹精；而閃電是雷神發怒、地震是山神發怒、洪災是河神發怒等。最重要的當然是，人類只要向這些精靈和神祇作出適當的祈禱和祭祀的話，便有可能平息祂們的憤怒和趨吉避凶。這是差不多各個民族都經歷過的「泛靈論」（animism）和「泛神論」（pantheism）階段。

心物二元論 除人以外皆沒意識

最早的「一元神論」(monothesim),是三千多年前由查拉圖斯特拉(Zoroaster)所創立的波斯教(Zoroastrianism)。但若說對世界影響的深遠,則是起源於地中海東端海岸的猶太教。這個宗教信奉一個名叫耶和華(Yahweh)的神,並於後來轉變成基督教(Christianity)而支配了西方文明。自此之後,「泛靈論」被視為民智未開的迷信。在「靈的世界」和「物的世界」的劃分中,屬於前者的便只有神和祂的得意傑作「人」,其他的事物雖然也由神所創造,都被劃入到「物的世界」。

在這樣的背景下,有現代哲學之父之稱的法國哲學家笛卡兒(Rene Descartes, 1596-1650)遂提出了著名的「心、物二元論」(mind-body dualism)。笛氏認為,「心」(靈性,靈魂)和「物」是宇宙間兩個截然不同的領域。人的軀體屬於「物」的領域,但他的心靈屬於「心」的領域,所以人是「心與物的混合體」。與此相對,所有死物以及其他的生物都只屬「物」的領域,而跟「心」沾不上邊。

與「泛靈論」相比,笛氏是從一個極端走向另一個極端。泛靈論認為差不多所有事物都擁有意識,但「心物二元」則認為除了人之外,塵世間所有事物都沒有意識。這是一個十分古怪的理論,因為按此觀點,好像豬、牛、羊甚至我們認為具有「靈性」的寵物如貓、狗等,本質上只是一些非常精巧的「自動機器」(automaton)。假設我們用利器去刺牠們,我們所見到的閃避、流血、嚎啕等反應,統統都只是一些機械性的反應,其間並不涉及任何恐懼和痛楚的主觀感覺。

可以這麼說，這是一個對所有動物都極具傷害性的學說，而由這個學說於十七世紀被提出至今的數百年，有關的科學研究和哲學思潮，都是對這個學說的不斷否定和駁斥。防止動物受到不必要的殘害是現代文明的一個標誌。

今天我們知道，意識（consciousness）絕不是非此則彼的「全有」或「全無」（all-or-none）的對立狀態，而是有眾多不同程度的分別。假設我們將意識的程度以0到10來表達，其間0代表死物的全無意識、則我們可以用1來代表近乎沒有意識的生命本能反應（如細菌的活動）、2代表具有極低程度的意識（如水母或蠕蟲）、3代表具有低等程度的意識（如蜜蜂、螞蟻）……如此類推，直至8所代表的貓與狗的意識程度，9所代表的海豚和猿類的意識程度，以及最後10所代表的人類所擁有的高等自我意識（self-consciousness）等等。

心靈與肉體密不可分

顯然，這一把單向度的量尺只是幫助我們進行思考的工具，而絕不是一個嚴謹的科學概念。正如「智能」是如此複雜的事物，所以不能以「智商」(IQ) 的數值來反映，意識更是複雜以極和豐富多姿的現象，當然無法用單一的數字來表達。但這把量尺確實幫助我們看出，笛卡兒「心、物二元論」是何等的荒謬。

我相信沒有人會否定，人類是地球迄今所產生的擁有最高等意識的生物。但即使我們只集中考察人類，我們亦無法不對仍然支持靈魂學說的人 (即使是暗地裡) 作出以下的詰問：以下的每一種「人」裡，他們所擁有些靈魂是怎麼一回事，死後的靈魂又到哪裡去？

- 300 萬年前 (已經直立行走和懂得運用工具) 的南方古猿
- 200 萬年前的能人
- 50 萬年前的北京猿人 (懂得用火的直立人)
- 20 萬年前的早期智人
- 10 萬年前的尼人
- 4 萬年前的克羅馬農人

其實，我們不需要淵博的古人類學知識，也可把同樣的問題應用於活在今天的：

- 一顆剛授精的卵子
- 一個6個月大的胚胎
- 一個剛出世的嬰兒

- 一個3個月大的嬰兒
- 一個剛滿周歲懂得行走的幼兒
- 一個嚴重智障（唐氏綜合症）的人
- 一個患有嚴重自閉症的人
- 一個患有嚴重腦退化症的人
- 一個長期處於休克狀態的植物人
- 一個酩酊大醉卻仍大吵大鬧（酒醒後卻甚麼也不記得）的人
- 一個處於夢遊的人⋯⋯

我們還可以進一步追問：一個患有嚴重自閉症的青年意外身亡後，他的靈魂是否仍會處於自閉狀態？而一個患了腦退化症多年的長者離世後，他的靈魂是否會回復到患病前的正常狀態？植物人死後的靈魂會清醒過來嗎？

顯然，假設靈魂可以獨立於肉體存在（即使只是存在於甚麼「靈界」、「超次元空間」或今天人們常說的「結界」）的「靈魂學說」是一個千瘡百孔的觀念。只要我們略為涉獵一下大腦科學的最新研究，便知「心靈」和「物質」之間是如何的密不可分：

- 一個成年人的大腦約由860億個神經元（neuron，腦細胞）所組成，其中有160億個神經元處於掌管高等思維的大腦皮層（cerebral cortex）。每個神經元平均有10,000個與其他神經元接駁的連結，也就是說，大腦中的神經連結可能高達1,000萬億個（1之後15個零）之多。
- 先進的「功能性磁共振」（fMRI）大腦掃描技術顯示，無論我們在進行不同的認知活動（如跟視覺、聽覺、嗅覺…有關的活動，或在進行鑑賞、選擇、邏輯推理或數學計算時），或是情緒處於不同的狀態（如悠閒、緊張、歡樂、恐懼、哀傷等）之時，大腦內不同區域的神經元的活躍程度會大為不同。

- 大腦不是一個單一的器官，它包含著眾多不同的區域和器官，如額葉、枕葉、頂葉、顳葉、布羅卡區……，以及基底核、丘腦、腦下垂體、松果體、海馬迴、杏仁核……等。而每當某一部分受損或受藥物影響時，人在認知、情緒和行為上都會受到各自不同的影響。
- 研究顯示，大腦本身可以分泌出多種不同的化學物質（腦激素）如血清素、腦內啡（安多酚）、多巴胺、催產素等，而這些物質的水平和比例會對一個人的心境、情緒和行為產生巨大的影響。（雖然不由大腦直接分泌，其他激素如雌激素、睪丸酮、腎上線素和皮質醇等也對我們的思想和行為產生巨大的影響。）
- 愈來愈多的研究顯示，眾多的精神病如憂鬱症和精神分裂症（思覺失調）等，不僅僅是心理病而更多是生理病，因此藥物治療和心理治療同樣重要。

意識乃生物演化的產物

不要忘記，以上介紹的是人類「意識」的物質基礎，著名心理學家佛洛依德（Sigmund Freud）的開創性研究顯示，我們的意識只是露出水面的冰山一角，在水底還有一個龐大的、我們難以洞悉和控制的「潛意識」世界。而夢境是讓我們有限地窺探到這個潛意識世界的一道狹縫。

大家如果在上述的認識之外，還加上了有關亞斯伯格症、異稟症候群（savant syndrome）、強迫症（如偷竊狂）、厭食症、失語症、面盲症、盲視、幻聽、夢遊症、多重人格（如著名的《24個比利》）等等千奇百怪的「大腦/ 精神失常」的較深入了解，大家將會充份明白，傳統哲學所研究的「心、物問題」，是如何的將「心」的性質過份簡化了。

回到「人在意識世界的位置」這個層次，我們能夠肯定的是：(1) 意識是生物演化的產物；(2) 在所有具有意識的生物當中，人類擁有的意識程度最高：他不但生活在「當下」這一刻，而且還可以（特別透過高等語言的幫助）審視過去，檢討得失，以及設想事物發展的各種可能性，預先籌劃未來。

在空間和時間上人類的確渺小得很，但在意識世界中，他乃處於（以現時所知）頂峰的位置。

2.5 人類的出現 宇宙的覺醒？

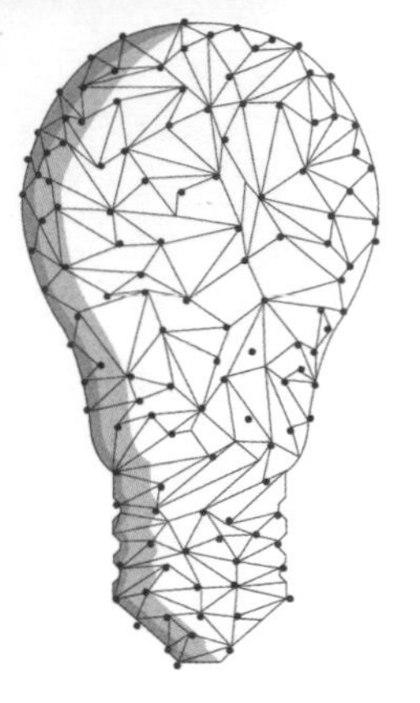

過去百多二百年來，科學探求的確令我們對「心為何物？」的了解大大加深。然而，除了醉心科學外，筆者也同樣熱愛哲學，當然明白站在哲學的角度，我們最關心的，是一個清醒的、自覺的、心智正常的「心」，跟物質宇宙之間的關係究竟為何。好吧，以下就讓我們從這個角度再探討一下。

因篇幅關係，我不會探討「沒有自覺的物質」如何能夠產生「有自覺的心」和主觀的「感質」（qualia），以及「決定性的物理規律」如何能夠產生「自由意志」這些至為深奧的哲學問題。（就後者的最扼要論述是：世界的運作要不是決定性（deterministic）的，就是「隨機性」（stochastic）的。如果是前者則「自由」是幻象；如果是後者則「意志」是幻象，即無論怎樣，「自由意志」都不可能成立。）我想探討的，是更為基本的一個「本體論」問題（ontological question）：究竟是「心先於物？」還是「物先於心？」

一個哲學觀點是，我們說「意識是演化的產物」，但歸根究底，這個認識（稱為判斷或信念也可）其實是意識的產物（如不信服的話，請嘗試以邏輯去駁斥這個「心先於物」的論點）。循著這個思路走下去，除了我唯一能夠肯定的「自我意識」外，世界的存在其實只是一種假設。可能宇宙間便只有我的意識，而我「身處」的外在世界（包括我的軀體），都是由我的意識所想象和虛構出來的。這種推論，哲學上稱「唯我論」（solipsism）。

理論上，唯我論是無法被推翻的。但世上應該沒有一個徹底誠實的唯我論者，因為這樣一個人不會接受物理定律的客觀性，所以即使有一輛大貨車迎面而來，他也會施施然橫過馬路，因為他會認為這部虛構的貨車不會撞倒他，而即使「撞死」了他也會立即「復活」。當然，這個人也不會跟任何人進行認真的交談（包括宣揚唯我論的真確性），因為跟自己虛構出來的「人物」認真交往是無聊透頂的事情。

唯我論可以是一種茶餘飯後的笑談，但唯心主義（idealism，又稱觀念論）卻是哲學裡一個認真的課題。這種主義的經典表述是：假如一株大樹在一個完全沒有人的樹林裡倒塌，這一倒塌會發出任何聲響嗎？唯心論者的答案是：「當然沒有」。另一個更極端的表述是，我們仰望夜空時看見一輪明月，但當我們轉過頭見不到月亮時，我們怎知月亮仍然存呢？唯心論者的答案是：「存在等於被感知，既然我們那時看不見月亮，當然等於當時的月亮不存在。」

按此推論，世界在我熟睡時並不存在，而在我死後世界也將不復存在。這與唯我論的觀點十分接近，不同之處是在於，唯心論者沒有否定其他人的真實存在，只是認為作為一個認識的主體，人的存在是世界存在的先決條件。也就是說，世上即使死剩一個人，世界仍會存在。但如果這個人死了，世界也隨之而消失。這種論點有時又被稱為「客觀唯心主義」，以別於唯我論的「主觀唯心主義」。

唯心論或唯物論皆失諸偏頗

與唯心論/ 觀念論相對立的是「唯物主義」（materialism），亦即相信世界是客觀地存在的。不用說，上文由「人從哪裡來？」到「人類在宇宙中的位置」的探索，都是從唯物主義的角度出發的，而大部分科學家，都可歸類為「樸素的實在論者」（naïve realists）。之所以說「樸素」，是因為科學家一般不懂哲學，也對刁鑽複雜的哲學思辨不感興趣，所以他認為世界客觀地存在（又稱為「實在論」的觀點）只是一種「樸素」的信念。

唯物主義和唯心主義的學術爭論至少已有數百年的歷史，但從現代哲學的觀點看，兩者皆失諸偏頗。按照近代的「詮釋學」（hermeneutics）觀點，我們將世界分為「主觀」和「客觀」的領域，根本一開始便錯了。人作為「認識的主體」和世界之作為「被認識的客體」，彼此間的關係根本便無法分割。所謂「認識」，是一個「我中有你、你中有我」的渾然一體的過程。

哲學家海德格（Martin Heidegger）便指出，一塊石頭的「存在」（Existence）和一個自覺的心的「存在」（Being）是截然不同的事。為了反映兩者在本質上的差異，他為「自覺的心的存在」起了一個新的名詞：「此在」（Dasein）。作為一種本體性的存在，「此在」已經超越了「主體」和「客體」的分野。

中國的哲學一向不大追求嚴謹精確，但我們若以較開放的角度來看，中國古代的哲學家很早便擁抱這種詮釋學的觀點。《禮記．禮運篇》所說：「人者，天地之心」就是一種超越了「唯物」和「唯心」的詮釋學宣言。而孟子所說「萬物皆備於我」亦有異曲同工之妙。

表面看來，這些說法好像支持唯心主義，但筆者認為這是一種膚淺的理解。古哲先賢並沒有否定物質世界的真實性，卻認為這種真實要通過了人心的觀照才能充份體現。宋代理學往往被認為帶有濃厚的唯心主義色彩，但即使是陸九淵的「吾心即宇宙，宇宙即吾心」以及王陽明的「心即理」，筆者認為皆應以詮釋學的角度來理解。

其實，當現代科學家偶爾帶上哲學家的帽子時，這也是他們所傾向的觀點。過去百多年來，量子力學所揭示的「波粒二象性」、「或然性詮釋」、「不確定原理」、「狀態互疊」、「量子糾纏」以及「觀察者」和「被觀察者」之間的互為因果的微妙關係（著名的「薛定鍔的貓悖論」）等等，都迫使科學家（特別是理論物理學家）從「樸素實在論」逐步轉向「精緻的詮釋論」（sophisticated hermeneutics）。

心靈是宇宙的產物

物理學家約翰•惠勒（John Wheeler）便曾明確地宣稱：人的出現就是宇宙逐步知道自己存在的一個過程。的確，心靈既是宇宙的產物，那麼心靈的覺醒就是宇宙的覺醒、心靈的躍升就是宇宙的躍升。我們也可以說：「心與萬物共同創造萬物」，只是我們必須明白，這種「創造」是一個動態而非靜態的過程。

南宋理學家朱熹曾經說：「天不生仲尼，萬古如長夜」，充份表達了他對孔子的崇敬和讚美。近代哲學家馮友蘭將這一句改成為「天若不生人，萬古如長夜」。這是筆者看過的最具詩意的詮釋學注解。

最後要一提的，是在唯我論以上，還有關於「真實與虛幻」的哲學臆想，其中最著名的，當然是「莊周夢蝶」和柏拉圖的「洞穴影子」的寓言。一個現代化的表述，是哲學家普特南（Hilary Putnam）所提出的「缸中之腦」（brains-in-vats）假設，和電影 *Matrix*（港譯《廿二世紀殺人網絡》）中所描述的電腦虛擬世界。筆者不打算在此深入討論這個題目，而只是想指出：即使人生真的只是「南柯一夢」（或是外星人在進行的一場實驗），我們也必須好好地活好這個夢，甚至活出「夢的精彩」。同理，即使「此生」之後有「永生」，我們也必須當「此生」是唯一的那樣好好生活。這當然已經超越了科學和哲學的思辨，而是一種人生的智慧。

人的本性如何？

3

3.1 人性的善與惡

我們至今已經努力回答了「人從哪裡來？」和「人在宇宙中的位置為何？」這兩個大哉問。但要真正探討「人的處境為何？」，上述這兩個大問題只屬前奏曲。我們接著要問一個最核心的問題：「人究竟是甚麼？」或是：「人的本質為何？」

人的本質我們又稱為「人性」（human nature）。問題於是成為：「人性是甚麼？」

千百年來，有關人性的論述言人人殊。古希臘哲學的一句箴言是：「認識你自己！」（Know thyself!）。這個看似簡單的呼籲，不知費耗了多少哲人智者畢生的心力。即使到了今天，也沒有人敢膽說已經獲得最終的答案。

孟子的「性善論」和荀子的「性惡論」是大眾所熟知的。這是古代哲學最早也最鮮明的人性理論。二千多年來，無數思考人性的人（不獨限於中國人）都徘徊於「性本善」和「性本惡」這兩個立論之間。

人須努力抑惡揚善

這兩個學說其實並不如我們一般想象的截然對立。孟子固然指出

「人皆有惻隱之心」，但他也明白人心也潛藏著惡的傾向，所以凡人皆要努力「抑惡揚善」。同樣地，雖然荀子提倡「性惡論」，並有弟子韓非和李斯等人，故此被視為法家的先驅，但他服膺的是孔子的儒家精神，並且認為經過社會的教化及個人的努力學習和修行，每人皆可培養出高尚的人格和美德。

在先秦思想家中，荀子的思想是既務實又深邃的。他曾經說：「水火有氣而無生，草木有生而無知，禽獸有知而無義；人有氣、有生、有知、亦且有義，故最為天下貴。」可說是古代哲學有關「人的本質」最精要的說明。他也曾說過：「無驗而必者，愚也」，從而透露出珍貴的科學求真精神。

讓我們回到人性中的「善中有惡」和「惡中有善」這個矛盾。西方文化便常以站在我們左、右肩膀的微形「魔鬼」和「天使」不斷跟我們耳語，以反映我們內心的「正、邪交戰」。以小說形式來凸顯這場交戰的經典作品，莫過於羅伯特 • 史蒂文生（Robert L. Stevenson）所寫的中篇故事《變身怪醫》（*The Strange Case of Dr. Jekyll and Mr. Hyde*, 1886）。故事的主人翁一心想以藥物來去除人類的劣根性，怎料卻將自己內心的魔性釋放，每到深夜便變成另一個人到處作惡。不用說，他只有毀滅自己才能得到解脫。

小說始終是小說，要超越簡單的「性善論」或「性惡論」而深入了解人性的本質，我們必須超越哲學思辨或藝術臆想的層面，而回歸到人的生物性和演化的歷程。

3.2 自然選擇決定演化走向

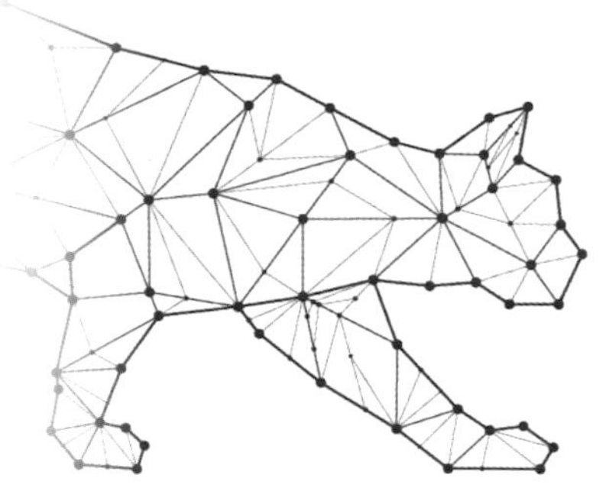

從生物學的角度出發，我請大家思考一個問題：貓是否有有「貓性」？狗是否有「狗性」呢？請不要以為我在開玩笑，這是一個認真的問題。試想想，貓和狗都是哺乳動物，而且同屬食肉目（Carnivora）。牠們的祖先皆很早便被人類所飼養和不斷配種改良，最後變成今天我們熟悉的各種家犬和家貓。但任何稍為接觸過牠們的人，都會驚訝於牠們的稟性（也可稱個性）是如此的不同！貓的孤高冷傲和狗的親切忠誠是眾所周知的。同樣有趣的是，貓和狗的消化和排泄系統在生理上無大分別，但貓可以被訓練在家中排泄，而狗則必須在外才肯排泄（故每天「放狗」是養狗人仕的指定動作）。凡此種種，都說明了貓確有「貓性」而狗確有「狗性」，而這些本性都是與生俱來的。

與生俱來亦即遺傳，遺傳亦即和基因有關。無可避免的結論是，基因不但可以決定生物的生理結構和功能，還可以影響生物的行為習性。貓和狗分類上總算屬於不同的科，但獅和虎皆同屬貓科生物，但生活習性卻仍是大相逕庭（獅子會群體狩獵而老虎是「獨行俠」），這充份說明了基因差異所起的巨大作用。

但這些基因差異是怎樣出現的呢？這當然是因為兩個物種經歷了不同的演化歷程，從而演化出最為適應各自棲身之地的生活習性（如獅子在大草原而老虎主要在密林）。但在探討人類的演化歷程如何產生出他的「人性」之前，我們必須較深入地了解生物演化的原理。

遺傳變異沒特定方向

在第一章提及過的鉅著《物種起源》，著者達爾文有兩個不同的目標，一個是證明表面截然不同的物種，實乃由共同的祖先演化而來；另一個則是試圖論證，「自然選擇理論」（Theory of Natural Selection）是生物演化背後的原理。

甚麼是「自然選擇」原理呢？首先，生物在繁衍的過程中（亦即在DNA的複制過程中，只是達爾文的年代未知有DNA的存在），會出現各種大大小小的「遺傳性變異」（hereditary variations）。這些變異基本上是隨機（random）的，即沒有特定的方向。其中較小的變異多來自基因的重組過程（DNA複制誤差和父母基因的混合和重組），特別大的變異則多來自外來環境——如來自外太空的高能輻射——所導致的「基因突變」（genetic mutation）。

不用說，生物個體的生存機會，取決於牠對環境（包括生物性環境）的適應能力（adaptability），而遺傳變異對這種適應能力的影響可以是（1）有利、（2）不利、或是（3）中性的。顯然，有利的變異可以提升生物個體的生存機會，亦即這個個體可以健康成長、找得配偶和繁衍下一代的機會會相應提升，結果是，擁有這種變異的個體數目會一代一代的增加下去。

反之，不利的變異會降低生物個體的生存機會，亦即牠可以健康成長、找得配偶和繁衍下一代的機會也會因而降低，結果是，擁有這種變異的個體數目會一代一代的減少，最後直至消失為止。

變異去留令物種推陳出新

上述這種情況我們稱為「差分繁殖」(differential reproduction) 現象，而結果則是：有利的變異會被保留（被自然界所「選擇」）和在群種中散播，而不利的變異則會被逐步淘汰而消失。

這兒有一個重要的概念，就是變異究竟是有利還是不利，完全是相對於當時的環境而言。如果環境有變（如氣候變遷甚至地殼變動導致的滄海桑田），一些原本有利（或中性）的變異可能變得有害，而原本一些不利（或中性）的變異則可能變得有利。正是這樣，不同的遺傳變異（表現為生理上的特徵或生活上的習性）不斷被保留（選擇）和淘汰，致令物種推陳出新。亦因為這樣，不少生物物種都曾經由繁盛趨向衰落甚至滅絕，而新的物種亦不斷的湧現。古生物學的研究顯示，在地球上出現過的生物品種，有90% 以上都已成為歷史陳跡。

可以這麼說，如果地球的環境數十億年來一成不變，生物的演化將會非常緩慢和單調。幸好現實中的地球環境不斷變化，所以生物的演化也變得多姿多彩。（當然在變化中遭到滅絕厄運的物種可不會這樣看。）

還有一個奇特的概念 —— 也是使人對「生物進化論」最感困惑之處 ，便是遺傳變異本質上是完全隨機的，但經過了後天的「自然選擇」和積累，卻呈現出一種頗為明顯的「方向性」：過去數十億年來，不少生物皆由簡單變得複雜、由單一變得多樣、由低等變得高等。我說「頗為明顯」，是因為這種「生命的躍升」不是絕對的。無數遠古時已經十分成功的生物今天仍然與我們同在（不單止細菌，還包括好像蟑螂、鸚鵡螺和鯊魚這樣的生物）。正因這樣，不少科學家覺得「進化」這個翻譯因為包含著「進步」這種價值色彩而有誤導成分，所以建議用「演化」這一名稱。筆者基本上同意這個觀點，所以本書也採用了「演化」這個名詞。

3.3 從「自私基因」到「宜斯策略」

自然選擇機制具有驚人的解釋能力，可以說是人類認識世界的歷程中一個偉大的觀念革命。而自二十世紀中葉以來，科學家將這個理論與數理邏輯中的「博弈論」（Game Theory）結合起來，就動物行為模式的研究獲得了豐碩的成果，當中包括：

- 領土性行為（territoriality）
- 侵略行為（aggressive behaviour）
- 兩性繁殖策略（reproductive strategies）
- 跨世代競爭（intergenerational competition）
- 利他行為（altruistic behaviour）
- 協作行為（cooperative behaviour）
- 社群分層（social stratification）
- 權力架構和轉移（power hierarchies and succession）等等。

這些研究的一個核心概念是，動物（嚴格來說還包括植物等所有生物）的某些行為習性的出現，最初可能是出於基因突變，但接著下來，它們能否被延續、保留、強化以及在群種中得以散播；還是被弱化、過濾和最後在群種中被剔除而消失，端視乎這些行為對於「導致這些行為的基因的延續」是否有利。

留意最後這句說話的革命性含義：我們不是說這些行為對「動物個體的存活」有利還是不利，而是說對於「基因的存活」是否有利。

你可能覺得這只是個概念遊戲，因為基因不都存在於生物個體之內，因此對生物個體有利，不就等於對基因有利嗎？但生物學家確實發現，要解釋大量生物界中的現象，以基因為中心的分析（gene-centric analysis）確實比以「個體存活」的分析更具解釋力。

在解釋這個理論時，著名英國生物學家約翰•哈爾登（J.B.S. Haldane）便曾經說過：「我會捨身拯救兄弟嗎？不會！但我會捨身拯救兩個兄弟或八個表兄弟。」哈氏這句話當然屬半開玩笑，他想借此凸顯的，是生物演化背後的一種硬邏輯：因為一個兄弟只有一半的基因與我相同，所以從基因的保留和繁衍的角度看，捨身相救絕不划算。如果是兩個兄弟，則一半加一半等於一整套，則捨身相救剛好打個平手。而因為表兄弟只有八分一的基因與我們的相同，所以要救八個才扯個平手。當然，如果能夠拯救兩個以上的兄弟和八個以上的表兄弟，從基因的角度看是「有賺」，而有關的「行為傾向」（behavioral propensity）會被選擇和強化。

基因變異違反效益會被淘汰

「但有誰會進行這些冷血的計算呢？」的確，絕大部分人不會這樣計算（也不懂這樣計算），但這不妨礙背後的「演化邏輯」（evolutionary logic）在歷史的長河中不斷發揮作用。也就是說，符合這種「成本效益計算」的行為傾向（由隨機的遺傳變異產生，在大腦中以本能及潛意識發揮作用）會被保留，而嚴重違反效益的行為傾向（也由隨機的遺傳變異產生）會被淘汰。

上世紀六十年代，科學家約翰 • 梅納 • 史密夫（John Maynard Smith）和威廉 • 漢密頓（William D. Hamilton）等人透過博弈論的分析對這種跨世代的演化邏輯進行了開創性的研究。但首次將這個觀念在普羅大眾之中廣為傳播的，是英國生物學家李察 • 道金斯（Richard Dawkins）。在1976年出版的《自私的基因》（*The Selfish Gene*）這本暢銷書裡，道氏不但生動活潑而且極富説服力地闡述了這些觀點，更創立了「自私的基因」這個弔詭的名詞（基因沒有意識，又何來「自私」？）。自此，這個名詞已成為了我們日常生活詞彙的一部分。

基因是沒有意識的，當然沒有所謂自私不自私，道氏創立「自私的基因」一詞，是刻意地顛覆我們的直觀。有趣的是，最能表達這個顛覆性概念的，是一位較道金斯早上一個世紀的英國小説家塞繆爾 · 巴特勒（Samuel Butler）。他在1877的一篇文章中寫道：「雞只是雞蛋為了製造另一隻雞蛋而製造出來的工具。」（A hen is only an egg's way of making another egg.）（巴特勒是一位由英國移居紐西蘭的小説家，他於1872年出版的《虛幻國》（*Erewhon*）是科幻界「反烏托邦小説」中的經典之作。）

以演化邏輯解釋行為被抨擊

其實，早於《自私的基因》發表前一年（即1975年），美國生物學家愛德華•威爾遜（Edward O. Wilson）便已發表了一本名為《社會生物學》（*Sociobiology*）的學術著作，嘗試把博弈理論和自然選擇原理結合起來，並應用於各種生物行為模式的演化之上。這本720頁的巨著分為27章，頭26章分別闡述了昆蟲（特別是群居昆蟲如蜜蜂和螞蟻）、鳥類、哺乳類以至各種靈長目動物的行為演化。這些章節皆受到學術界很高的評價。但在最後一章，愛氏嘗試用同樣的方法來揭示人類各種行為的起源，卻在學術界引來很大的反響甚至評擊。不少學者（主要是人文學者）認為，以演化邏輯來解釋誠實、欺詐、慷慨、自私、協作、侵略等行為，及至親情、愛情、友情等人倫關係，乃將人類拉低至動物的層次，是貶損人類的尊嚴。

接著下來的十多二十年，從事「社會生物學」研究的科學家不斷受到攻擊，其間包括輿論和宗教界的攻擊，也包括（頗為弔詭地）同時來自左派和右派的攻擊：左翼學者認為他們以演化邏輯來為社會分層和壓迫辯護；而右翼學者則認為他們貶損了人類的靈性（其中不少認為這種靈性乃由上帝所賜予）和尊嚴。

不過，科學家是聰明的。為了化解這些外來的批評和干擾，他們悄悄地把研究領域由「社會生物學」改名為「演化心理學」（evolutionary psychology）。由於這一改動，也隨著有關的研究獲得愈來愈多的證據支持，踏進廿一世紀之後，環繞著「社會生物學」的大辯論大致已經銷聲匿跡。

演化上穩定策略

生物行為模式的演化，牽涉一個十分重要的概念：「演化上穩定的策略」（evolutionarily stable strategy），由於英文往往被縮寫為 ESS，一個音、義俱皆的中文翻譯是「宜斯策略」。

甚麼甚麼是「宜斯策略」呢？讓我們以一個群體（可以是海鷗、狼或黑猩猩等群落）之中，各個個體的「侵略性行為傾向」（稱為「鷹派」）和「退讓性行為傾向」（稱為「鴿派」）作例子。

假如群體中所有個體都屬「鷹派」，則彼此的相遇（主要在資源爭奪時）全都是「鷹、鷹相遇」。這時，就算不兩敗俱傷，勝出的也要付上很大的代價（敗者所失當然更多）。

假如所有個體都是酷愛和平的「鴿派」又怎樣呢？表面看來這是個和平主義者的天堂，但分析顯示，由於這時的所有相遇都會是「鴿、鴿相遇」，雙方固然可全身而退，但彼此不斷退讓會浪費很多時間，而整個群落會失去很多覓食和繁殖的「機會成本」。

對「鷹」而言，「鷹立鴿群」（「萬鴿叢中一隻鷹」）當然是最理想的狀況，但我們不要忘記，「鷹派」的基因會因此迅速散播並取代「鴿派」的基因，最後會形成一個「全鷹群落」，而按照我們最初的分析，整個群體會因「內耗」而要付出沉重的代價。

那麼「鴿立鷹群」又如何呢？表面看來，「狼群中的一頭羊」似乎沒有生存的機會。但不要忘記，我們現在說的只是謀生或選擇配偶時的侵略性行為，不一定要將對方置諸死地。科學家的一個有趣發現是，只要環境中的資源不是特別貧乏，這隻「鷹中之鴿」仍會有生存的空間，而更有趣的是，由於平均來說，退讓所做成的損失可能較「兩敗俱傷」的低，所以避免「樹大招風」的鴿，在鷹群中反而會有牠的優勢，而牠的基因會在群落中悄悄地擴散。結果是，「鷹派」的基因會被「鴿派」的基因逐步取代。

鷹鴿基因頻率比例穩定 有利生存

好了，我們拐了一個大圈又回到了「全鴿群落」。不錯，這種群落雖然效率偏低，但原則上仍是可持續的。然而，這只是相對於沒有任何「鷹派」個體而言。如果基因突變產生了一個有「鷹派」傾向的個體（那怕是多麼輕微的傾向），這一個體便會佔有絕對優勢（西諺中的所謂「雞棚裡的一隻狐狸」），而「鷹派」基因很快便會在種群中散布並得到強化，最後在群落中成為主導的基因型。當然，一旦「全鷹群落」形成，牠又會很易被「鴿派」基因所入侵。

這真是一個奇異的結果。原來「鷹派」和「鴿派」的行為在任何群落中皆有其生存空間。「全鷹群落」長遠來說不穩定，「全鴿群落」長遠來說也不穩定，那麼是否表示在任何群落之中，「鷹派」和「鴿派」的基因（嚴格來說是「基因頻率」，gene frequency）會出現周期性的交替漲落呢？這固然是一個可能出現的結果，但科學家卻作出了更有趣的發現：原來只要「鴿、鷹相遇」對鴿做成的損失，一般低於「鷹、鷹相遇」對鷹做成的損失，則群落中原來可以有一個穩定的「鷹、鴿基因頻率比例」，而且一旦這個比例穩定下來，它會擁有極強的抗干擾能力。而這，正是「演化上穩定策略」的意思。

誇張一點說，這便是為甚麼我們不可能每個人都是聖人，也不可能每個人都是大壞蛋，因為這兩個都不是種群的「宜斯策略」。

毋須贅言，這個「穩定策略」的「至優性質」（optimality）只是相對於某一特定環境而言，當環境發生較大的變化，策略可能會變成「次優」（sub-optimal）甚至有害，而最終被別的策略入侵甚至取代。

以上只是有關「宜斯策略」的最基本分析，較為複雜的「宜斯策略」則需要透過數學（和電腦）的模擬演算。例如在簡單的「侵略傾向」和「退讓傾向」之外，還可以有「先禮後兵策略」、「虛張聲勢策略」、「逐步升級策略」、「虎頭蛇尾策略」等等。而代表這些策略的基因頻率，在群落中是否存在著一些固定及可持續的數值，正是動物行為學家深感興趣的課題。令人興奮的是，經過了多年的深入研究，電腦演算的理論模擬結果，往往和野外觀察到的結果十分吻合。

在協作行為方面，一項重要的「宜斯策略」研究成果，是羅伯特•阿素諾（Robert Axelrod）以電腦演算來進行的「重複性囚犯兩難推論」（Iterated Prisoners' Dilemma）的「策略對壘」。由於篇幅關係，筆者無法在此作出詳細的介紹。有興趣的朋友可以閱讀阿素諾於1984年出版的《協作的演化》（*The Evolution of Cooperation*）一書。道金斯為這本書作序時這樣說：「我認為世上所有政客都要連同這本書被關進一個密室，在未讀完之前不准離開！」

沒有部落有自我淘汰傾向

過去數十年來，在阿素諾的研究成果之上，科學家更透過了大量的社會心理學實驗如「最後通牒遊戲」（Ultimatum Game）、「獨裁者遊戲」（Dictator Game）和「公共財遊戲」（Public Goods Game）等，大大加深了對人類協作行為（包括於己無益也要嚴懲欺詐者的強烈傾向）的了解。簡而言之，在利己的傾向之外，人類也深明「共贏」的邏輯並有天生追求公平的傾向。

無需電腦演算或實驗，一些「宜斯策略」憑直觀也可得知。例如我們不會找到一個物種（或是某物種的一個獨立群落），其個體皆有強烈的自殺傾向、同類相食（cannibalism）傾向、進食糞便傾向、獨身傾向或是同性戀的傾向，因為具有這些主導傾向（基因型）的群落，一早便會自我淘汰。

再進一步，我們發現即使在沒有「禮教」約束的動物界，也有很強的「近親交配禁忌」（incest taboo），而遺傳學的研究顯示，這是因為近親繁殖會令隱性基因（recessive genes）作用得以顯現（術語中稱為「基因表現」，gene expression）的機會大增，而由此而引起的各種遺傳病（如歐洲皇室中曾經肆虐的敗血病）會令個體的生存機會大減。

我們常常說「那裡有壓迫那裡便有反抗」，又說「君子報仇十年未晚」。透過了演化邏輯的稜鏡，我們對眾多跨文化的觀念和行為開始有嶄新的理解。它們之所以如此普遍，是因為沒有「反抗意願」和「復仇傾向」的群落都不符合「宜斯策略」，所以很早便已在演化途中被淘汰。

過去數十年來，基因對個人性格和行為的影響亦逐步被確定。其中最強有力的證據，來自對「同卵孖生子」（identical twins）和「異卵孖生子」（fraternal twins）在個性、愛好、習慣、易患的疾病（包括精神病）甚至職業選擇和擇偶品味方面的「長時間追蹤比較研究」（Long-term tracking comparative studies）。研究顯示，一個人成長後的性格和喜好，約有40%至50 %由基因所決定，其餘的才由後天因素所決定。

必須指出的是，「先天」和「後天」的因素（英文稱之為"Nature versus Nurture"）並非截然劃分互不相干。事實上，彼此間的互動往往十分複雜多變。隨著「表徵遺傳學」（epigenetics）的興起，我們如今知道，從「基因型」(genotype) 發展為「表現型」(phenotype) 的過程之中，還存在不少變數，所以上述「40%至50%」這個數字，只能作為一個粗略的參考。

3.4 顛倒的因果鏈

綜合上述的分析，我們可以得出以下的結論。

一直以來，我們都以為人類是先有「道德價值」，然後由價值影響「觀念」，再由觀念影響「思想」，最後思想再影響「行為」。殊不知真實的情況剛好相反。

真實的情況是：進化的邏輯（隨機性基因變異如何影響生物個體的適應能力和子女數目，最後影響基因的盛衰）是因，而行為傾向（如群體狩獵、一夫一妻，照料子女或亂倫禁忌等）的選擇與淘汰是果。對於禽獸而言，這已是因果鏈的終結。但對於發展出高度自我意識和高等思想與感情的人類而言，這種「行為傾向」會逐步在感情上和思想上得到「內在化」和「合理化」，最後形成人類對各種事物的觀念。而這些觀念則進一步被提升為各種「倫理道德」的價值。

也就是說，我們歷來對「道德」與「行為」的認識，恰恰是將彼此的因果關係顛倒過來。過往假設的因果走向是：「價值→道德觀念→思想→行為傾向→行為結果」，今天我們得悉的因果走向（從包含時間度向的演化角度而言）則是：「行為結果→（演化邏輯）→行為傾向→思想→道德觀念→價值」。具體來說，我們是「先有互助、後有互愛」，而並非「先有互愛、後有互助」。

先互助　後互愛

很多人可能難以接受這個結論。就筆者看來，「互助互愛」是人類最珍貴的特質，對於真正有智慧的人來說，又何須介意何者孰先、何者孰後呢？

再進一步說，「母愛是偉大的」和「母愛是演化的產物」都是事實，兩者之間並不存在矛盾。所謂矛盾，只是智慧不足的人自尋煩惱罷了。

更為深入的考察帶來了以下愈來愈受生物學家和人類學家接受的推斷：如果我們以誠實、正直、慷慨、樂於助人等品質稱為「高尚的品格」，那麼一個擁有高尚品格的人自會受到族人的讚許和愛戴。但族人真正能夠觀察到的，其實只是某人的外在行為，所以理論上，一個人可以只是偽裝這些行為，而並不擁有高尚的品格。

問題是，一個人偽裝這些行為必須十分徹底，因為任何卑劣行為一旦被人發現，之前辛苦建立的形象和聲譽將會毀於一旦。但要經常保持高尚的行為，必須習慣於高尚的思考方式，而這必須建基於高尚的感情。結果是，高尚的行為與高尚情操之間互相強化，高尚的品格於是成為了人性的一部分。當然，這無法阻止能夠長時間偽裝的「岳不群」潛藏於我們之中。但正如美國前總統林肯（Abraham Lincoln）林肯所說：「你能夠短時間內欺騙所有人，或是長時間內欺騙少數人，但不可能長時間欺騙所有的人。」

高尚人格是進化的產物

同樣地，「高尚的人格是我們應該追求的」和「高尚的人格是進化的產物」之間實無矛盾之處，筆者甚至會這樣說，絕大部分人一天未能接受兩者之間不存在矛盾的話，人類之作為一個智慧族類，便一天未有離開孩童階段而成為一個成熟睿智的族類。

愛因斯坦的一句名言是：「與大自然的深淼浩瀚相比起來，人類的科學和理性是十分膚淺、幼稚和有限的。然而，它卻是我們所擁有的最珍貴的東西。」我們可以把這句充滿智慧的說話延伸如下：「與大自然的深淼浩瀚相比起來，人類的喜、怒、哀、樂是微不足道的。然而，它卻是我們所擁有的最珍貴的東西。」

不錯，人類的喜、怒、哀、樂皆是演化的產物，但這絲毫沒有減損它們的重要性。

雖然有關「社會生物學」的辯論已沉寂下來，但在繼續探討「人的處境」這個課題之前，筆者還是要重申，我們至今的論述，在不少人文主義者（包括某些哲學家、史學家、社會學家、文化研究者等）的眼中，仍然會被看成為「生物決定論」或「基因決定論」。在他們看來，把「生命」、「意識」、「情感」、「道德」等歸結到「物」的層面，始終是對人類靈性的一種褻瀆，或至少是一種嚴重的曲解。

筆者的回答是，科學探求不斷揭示造物的奧妙，讓人洞悉物質世界的演化如何逐步衍生出奧妙無窮的生命、意識、情感和道德世界。從這個角度看，有關的論述絕對不是一種褻瀆，而是一種謳歌。

演化生物學研究道德的形成

不錯，英國哲學家休謨（David Hume, 1711-1776）很早便指出，我們永遠也無法從事物的「實然」（is）推斷出人類行為的「應然」（ought），而任何這樣做的企圖，都犯了一種「自然主義謬誤」（Naturalistic Fallacy）。更具體地說，「生物學論證」（biological reasoning）和「道德論證」（moral reasoning）屬於兩個不同的領域，前者永遠無法完全取代後者。

筆者不打算深入探討這個富爭議的「事實—價值對立」（Fact-Value Dichotomy），而只是想指出，演化生物學的任務絕對不是取代道德哲學（moral philosophy），而是對各種道德觀念（如孝道、貞操，殺嬰及賞罰等）的形成和演化過程作出研究。至於研究的成果應該如何指導我們的行為及至社會政策的制定，則是道德哲學和社會學的責任。

英國哲學家培根（Francis Bacon）的一句名言是：「要征服自然，必先服從自然。」了解事物的局限，是克服這些局限的開始。

道金斯在《自私的基因》的結尾這樣寫道：「我們是作為基因機器而被建造的，是作為意念機器而被培養的。但我們具備足夠的力量去抗衡我們的締造者。在這個世界上，只有我們，我們人類，能夠反抗自私的複制基因的暴政。」在電影《非洲皇后號》（*The African Queen*, 1951）之中，當男主角說「這是人的本性」，女主角回應：「我們存在的意義，艾律先生，就是去超越我們的自然本性。」（Nature, Mr. Allnut, is what we are put in this world to rise above.）

然而，即使部分學者接受上述的觀點，不少仍然認為，我們是過分強調生物性制約，而嚴重忽視文化（culture）的制約和促進作用，以及人類自覺心靈的創造性和「主觀能動性」。

文化有其特性亦有共性

的確，人是生物演化的產物，也是文化演化的產物，我們要透徹了解人性，當然應該兩者並重。筆者絕不否定文化學者的研究具有重大意義，只想指出曾經在歷史上出現過的數以千計的文化，每個既有其獨有的「特性」（particularities），之間卻也有其驚人地相似的「共性」（commonalities），由於志趣不同，文化學者固然有自由只集中研究前者，但一旦他們的研究涉及後者（即不同文化間的「共性」），則他們必須以開放的心態了解生物行為的演化邏輯，否則便是有違嚴謹的學術精神。

單是以生物演化的角度來了解人性固然偏頗，但只是以文化的角度來了解人性，而完全忽視人類的生物性制約和演化歷史，帶來的偏頗恐怕只會更大。哈佛心理學家史提芬 • 平克（Steven Pinker）在他的著作《白板—現代人對人性的否定》（*The Blank Slate: the Modern Denial of Human Nature*, 2002）對此有深刻的論述，有興趣的讀者可以找來一讀。

高等自我意識和高等思維的能力，在自然界中只是一個極其罕見的特例（至今所知的出現數量為1）。在多姿多采的生物世界，所有其他生物皆沒有高等文化和哲學思維的能力，卻仍能好好地繁衍和生存。而在宇宙的歷史長河中，這種能力更是晚近和短暫時幾乎不值一提的最新現象。

一個謙卑的結論是：存在不需要哲學，哲學卻必須有賴存在。如此看來，我們必先透徹了解存在的「具體內容」，然後才嘗試了解存在的「文化哲學內容」。

筆者甚至會作出這樣的聲稱：就帶來的思想啟發而言，靜心地觀看野生生物（最好是我們的近親如黑猩猩）在自然環境活動一天，將勝過閱讀十本有關人生哲學的著作。

3.5 人性特質與文化互為因果

至此，我們終於可以嘗試回答「人的本質為何？」這個問題。

首先，「人類出生時的心靈猶如一張白紙」（拉丁文中的tabula rasa）這個觀點可以休矣。正如一隻貓出生時已具有「貓性」、一隻狗出生時已具有「狗性」，一個人出生時當然亦包含著固有的「人性」。用最寬鬆的角度看，就算人類出生時的心靈是「一張紙」，那肯定不是一張白紙，而是染有斑駁顏色的紙。

人性既是演化的產物，它當然並非一成不變，而會隨著時間而改變。也就是說，在生物演化的時間尺度，人性是動態而非靜態的事物。當然，如果我們只集中考察某一段短暫的時間（如在一萬年以下），人性中自然有不少不易改變的「固有」成分（rigidity）。但與此同時，因為人類擁有巨大的學習和反思能力，人性中亦包含著不少「可塑」的成分（plasticity），前者就是我們所說的「造化」（nature），而後則是所有父母和教師所致力於的「教化」（nurture）。在更高的一個層面，如果我們將前者視為一種「局限」，那麼後者（可塑性下的教化學習與精神的躍升）便可以被看成為一種「超越」。

超越性的追求是本書最後一章的主題，但簡單的道理是，假如我們未能充份了解一件事情的局限，又怎能奢談對這件事情的超越呢？於此，我們有必要對人性的特質作進一步的了解。

由直立行走到精巧操縱工具

人類演化上的近親是猿類，「人性」的一大構成自然是「猿性」。但在「科」(genus) 和「屬」(species) 的層次，我們也的確自成一家。以下，就讓我們嘗試從不同的層次，逐一列出一些人類和猿類（及至整個靈長目）既相似而又不同的特性（以下內容與第二章的表列稍有重複）。

1. 靈長動物的一個特色是前肢長後肢短。然而，因為要直立行走而變得「腿長手短」的人類是個例外。亦因為直立行走的需要，人類後肢的腳掌已喪失了緊抓（例如抓緊樹枝）的能力。但與此同時，人類的雙手發展出可以跟其餘四指緊密互印的姆指（opposable thumb），從而使它的精巧操控能力大幅提升。工具的不斷製造、改良和使用，使人類最終成為可以駕駛太空船登陸月球的猿類。

2. 人類和其他靈長目生物一樣，雙眼向前生長，所以擁有能夠高度辨別遠近的立體視力（binocular vision）。但外型上，人類的體毛已大量喪失，而牙齒也較其他靈長動物小得多。（在其他猿類眼中，我們應是一種醜陋的「裸猿」。）
3. 人類是最長壽的靈長目生物，腦容量和新大腦皮層（neo-cortex）的複雜程度亦是所有靈長動物之冠。
4. 與其他靈長動物一樣，人類的雌性每次只生一胎，非常偶爾才會有雙胞胎或三胞胎的出現。但人類與其他靈長動物的顯著分別，是必須受到悉心照料的幼兒期特別長（prolonged childhood）——是以「年」計而非以「月」計。而父、母的長期共同照料（prolonged co-parenting）也是人類的一大特色。
5. 在攝食方面，如果跟大猩猩、褐猩猩和黑猩猩三種大猿相比，人類的雜食程度最高。大猩猩和褐猩猩都是素食者，黑猩猩偶然會食肉，而人類的肉食量則最為驚人（可達進食量三分一或以上），可以這麼說，人類是一種「嗜肉的猿」（Carnivorous Ape）甚至是「嗜殺的猿」（Killer Ape）。

唯一以裸體為恥的生物

6. 人類是唯一懂得用火的生物，也是地球上唯一習慣熟食的生物（雖然最先懂得用火的不是智人而是直立人）。
7. 人是唯一會將死去的同伴埋葬的生物（雖然除了智人外，尼人也有這種習俗）。
8. 在交配繁衍方面，人類與其他靈長類的最大分別是雌性的「隱蔽性排卵」和春情期（estrus）的無限延長（即全年皆可進行交配）。此外，人類的性交以面對面的姿勢為主（倭猩猩偶然也會採用這種姿勢），而性前奏（foreplay）和性交（coitus）的時間也是所有猿類中最長的。
9. 人類是唯一以裸體為羞恥，因此要以衣服蔽體的生物。同樣，人類是唯一不願意在其他同類面前進行性交的生物。（換另一個角度看，這是因為人類是唯一擁有「羞恥心」的生物。）
10. 與其他大猿相比，人類的「終身單一配對」（lifelong pair-bonding）——即一夫一妻制（monogamy）——是獨一無異的。大猩猩奉行的是一夫多妻制（polygyny），而黑猩猩和倭猩猩都是雜交（promiscuous）的。科學家相信，這和上述人類的特長幼兒期有直接關係。（有趣的是，上述的分別和各自的「兩性體型差異」（sexual dimorphism）十分吻合：一夫多妻的雄性大猩猩較雌性的大很多、雜交的黑猩猩和倭猩猩雌雄體型十分接近、而人類男、女的體型差異則介乎兩者之間。）

發展出高度的同理心

11.與其他靈長動物一樣，人類屬群居性的動物（gregarious animals），但無論從群體的大小和結構的複雜程度，人類的社群生活（social life）都遠遠超越其他的靈長動物。在群落之中，「人人為我，我為人人」是天經地義的（例如一家人的房子不幸被火燒掉，族人都會義務地協助他們重建房子。）如果守望相助是社會主義，那麼人類就是天生的社會主義者。(唯一可與人類媲美的生物是螞蟻和蜜蜂等社會性昆蟲（social insects），但牠們高度發展的社會結構基本由本能/ 基因所決定，與人類的變化多端的社會結構不可同日而語。)

12. 靈長動物偶有協作的行為，但人類是地球上協作能力最強的生物。大規模和持續的協作行為（例如鄭和下西洋或太陽神登月計劃）除了要求高度發展的前瞻性思考能力之外，還要求成員之間有高度的溝通能力甚至「讀心術」（演化心理學稱為 Theory of Mind），也就是善於識別對方的情緒和意圖的能力。

13. 從「讀心術」出發，人類發展出高度的「同理心」。在知性的層面這包括「移情理解」（empathetic understanding）、「易位思考」（substitution thinking）、「交互主體性」（inter-subjectivity）等能力；在感性的層面，這包括了感同身受、易身處地、將心比己、推己及人、為他人設想、甚至悲天憫人等傾向。孔子提出的「己所不欲，勿施於人」守則是這種傾向的自然結果，它可說是人類一切道德行為的起始點。而「己欲立而立人，己欲達而達人」則是這種道德感情的高度提升。

14. 以上是從正面的角度看，但協作能力和讀心術也有其反面。我們今天知道，靈長動物的群落之間偶然會爆發衝突，其中猶以黑猩猩之間的最為血腥暴力。但比起人類群體之間的衝突，這些都屬小巫見大巫。人類世界中的戰爭（位處榜首的當然是第二次世界大戰），是生物史上規模最大的同類間互相殘殺（當然也是最大規模的協作行為）。

15. 超卓的「讀心術」和語言的出現亦令人類成為蒙騙和欺詐的高手，「巧言令色」、「口蜜腹劍」、「笑裡藏刀」、「兩面三刀」等能力是所有其他動物所望塵莫及的。俗語有云「知人口面不知心」，壞人從來都沒有標記刻在額頭。動物學家的研究顯示，動物界也偶有欺詐性行為，但人類的出現，肯定將虛偽和欺詐的藝術提升到一個嶄新的境界。

會壓迫同類亦會捨己救人

16. 所謂「物競天擇」，同一物種的不同個體在面對有限的資源時，當然會發生衝突和鬥爭，但對同類作出大規模和長時間的壓迫，應該是人類的「偉大發明」。這種壓迫包括了統治者對被統治者的極權專制、嚴刑峻法、苛捐雜稅和直接勞役（如秦始皇建長城），更包括征服者對被征服者實行的慘無人道的奴隸制度（slavery）。不要忘記，最近的一趟奴隸制度被廢除，只是距今不足200年的事情。

17. 人性有自私、卑劣、殘忍的一面，但也有它光明的一面。除了上述提過的「勿施於人」和「己達達人」之外，人類甚至會作出捨己救人以及「犧牲小我、完成大我」的大愛行為，科學家稱這為「利他性行為」（altruistic behaviour）。誠然，最先引起科學家興趣的利他行為是螞蟻與蜜蜂等昆蟲，因為從「自私基因」的角度出發，蜜蜂會因為保衛蜂巢而犧牲自己，以及工蜂和工蟻等不能繁殖卻會將全副精力花在培育別人的子女之上等行為，都曾令科學家大惑不解：導致這些行為的基因是如何得以選擇、保留和延續下來的呢？從演化邏輯、博弈論和統計分析的層面來解釋這些現象（背後的原理稱為「總體適應度」，inclusive fitness），是現代生物學一項偉大的成就。人類的利他行為在原理上跟上述的沒有分別，但在層次上當然高出很多。由於這個題目太重要了，我們會於下文作出更深入的探討。

18. 人類一方面有博愛的精神，但另一方面也有著明顯的「親疏之別」傾向。我們摯愛的當然是父母、子女和配偶，還有是我們的兄弟姊妹，次之是「延伸家庭」（extended family）中的其他成員（祖父母、表姊弟妹、叔伯子姪等）。一般來説，血緣關係愈密切，彼此間的感情紐帶愈強；血緣關係愈疏，感情紐帶愈弱。這就是我們所説的「倫常」，是人性中的固有部分，亦即「自私基因」的運作邏輯。不錯，我們可以服膺於「四海之內皆兄弟」甚至「世界大同」的理想，但在現實中我們絕難擺脱「親疏之別」的本性。從這個角度看，墨子提倡的「兼愛」推到極至的話是有違人性的，試想想，如果任何人的父親死了，我都會有如自己父親死了般悲慟，那麼我便大部分時間都會處於這種狀態，而無法正常地生活。

情感豐富 講求是非善惡

19. 不用説人類是地球上感情最豐富的生物，他的哭與笑、愛與恨皆比其他的動物強烈，而好奇、盼望、懊悔、焦慮、憐憫、悲慟、狂喜、義憤等感情，以及他的幽默感和自嘲能力，都遠遠超越其他的靈長近親。（有意思的是，當大部分人仍然認為動物沒有心靈之時，達爾文的一本著作便叫《人與動物的情感表達》（*The Expression of the Emotions in Man and Animals*, 1872），充份表現了達氏的前瞻性。）

20. 人的好奇心、求知欲、學習能力、記憶力、理性分析能力、想像力、創造力等當然都是我們所引以為傲的。這些能力最初顯然和生存需要有關，但不久，追尋知識和真理本身成為了一部分人的畢生事業，以致有人說：「我們最初為生存而學習，後來卻為了學習而生存」。（上述這些能力很大部分跟我們擁有高等的語言有關，我們在下文會再述。）

21. 與其他生物一樣，人類世界是一個弱肉強食的世界，但他與其他生物的一個重大分別，是在此之上，他也建構了一個講求「是非善惡」的道德世界。在這個世界中，「作惡」的人也往往要為他的行為辯解和「合理化」。美國科幻作家羅伯特•海萊因（Robert A. Heinlein）便曾經精辟地說：「人不是理性的動物，他是凡事皆要合理化的動物。」（Man is not a rational animal, he is a rationalizing animal.）而從另一個角度看，認為「道德無用」的人，其實正是進行一個道德判斷。在此之上，幾乎每一個社會都發展出榮譽的觀念（sense of honour），而一些人更認為榮譽比生命更重要（典型的例子是進行切腹的日本武士）。

天性愛美 重視分享

22. 按照科學家的研究，作為人類近親的大猿也有一定的愛美天性，但跟人類的「貪靚」相比，自是瞠乎其後。人類的愛美天性不但令他花上大量時間精力，在器皿、衣服和居室等事物之上加上毫無功能的裝飾，更令某些人將畢生的精力花在美的追求和創造之上。一心追求知識和真理的人我們稱為科學家和哲學家，一心追求美的人我們稱為藝術家。從藝術哲學的角度看，這種追求已經超越了單純的「愛美」層面，而是對「升華」(sublime) 境界的一種追求。

23. 人生的要義在於分享。這不是道學式的教誨，而是人的本性。

假設一班朋友往郊外露營，並已找到一處草坪預備駐紮，你因為未有分配到工作於是登上了附近的小丘，卻見到一輪紅日冉冉西沉異常壯麗，你會默默看完後回去告訴他人？還是會立即叫其他人前來一起觀賞呢？答案是不言而喻的。所謂「獨樂樂不如眾樂樂」就是這個道理。如果把上述例子中的動物換成一群狩獵時合作無間的狼，你便會更清楚看出「分享」在人類世界的獨特位置。

24. 在所有動物中，人類是唯一會向（他們心目中的）超自然力量（最高的級別稱為「神」）進行膜拜的動物。這種行為科學家稱為「宗教衝動」（religious impulse）。這種傾向相信跟人類充份了解自身的極限（凡人皆死）所產生的恐懼有關；而敬拜一個頒布道德律令的「天父」，則可能跟人類要長期「遵循父母教誨」的「孝道」行為傾向有關。信仰的另一個動機，是解答「殺人放火金腰帶，修橋補路無屍骸」的困惑，因為如果有「來生」甚至「永生」，「善惡到頭終有報」便可帶來心靈上的慰藉。

文化發展或會超越演化邏輯

25. 上述種種特質當然已經把我們帶到文化的層面。事實是，文化是人性的產物，但在另一方面，人性也是文化的產物，兩者是互相緊扣，互為因果的。但總括而言，文化一旦發展起來，它便有可能於某一程度上超越演化邏輯的制約。例如「妒忌心」是演化的產物，但隨著文化的演變（也可說是進步），一個丈夫發現妻子紅杏出牆在以往會「手刃奸夫淫婦」，但在今天則可能只是提出離婚罷了。（我說只是「於某一程度」，因為今天仍然可能有人選擇前者。）文化的另一個特質，是「社會現實」（social reality）往往淩駕於「物理現實」（physical reality），例如自金錢發明以來，人類由「沒有食物會餓死」演變為（相信沒有人會說這是進步）「沒有金錢會餓死」，另外亦會因信奉某種宗教而拒絕進食某種食物、因愛國主義而（在戰場上）殺害素未謀面的人、因失去面子而切腹自盡、或因身敗名裂（而非斷水絕糧）時跳數自殺等等。

26. 在「社會現實」中，一個重要特點是象徵意義（symbolic meaning）往往淩駕於實質意義。人死後的喪葬儀式就是一個很好的例子：一些不幸因意外（如海難）死亡卻找不到屍體的人，其親人和朋友仍然會為他舉行喪禮，並以衣冠下葬。此外，今天很多相愛的男女都會共賦同居，但即使他（她）們同居了很多年（即已有婚姻之實），到最後決定結婚而舉行婚禮時，仍然有可能喜極而泣。再者，在公眾場所燃燒一塊小布應是小事一樁，但假如這塊布是某國的國旗，便可能惹起軒然大波。

上述這26項當然未能完全涵蓋「人性」所有獨特之處，例如人類喜愛親近大自然（大部分人都喜愛郊遊；而有海景的居住單位比沒有的昂貴很多）、喜愛尋求刺激（滑水、滑浪、滑雪、笨豬跳等）、有強烈的復仇傾向（父仇不共戴天；君子報仇，十年未晚）、是唯一會自殺——包括在殺人之後自殺——的生物、也是唯一會飼養寵物的生物等等。筆者的目的，只是讓我們能夠在「猿性」之上，更立體更鮮明地看到人的特質。

最後筆者要強調的是，今天所有人不但屬於同一個物種（species），而且在「亞種」（sub-species）這個層次也同屬「智人亞種」，所以我們的全名是*Homo sapiens sapiens*。科學家的研究告訴我們，基於膚色和容貌的所謂「種族」差異，在人類演化的歷程上屬於非常晚近的事情，而在生物學方面也沒有明確的意義（特別在「種族」不斷融合的今天）。無論我們自己認同那個種族那個文化，我們共同的「人性」（humanity）已將我們緊緊地連結在一起，這種「大同」遠遠超過任何種族上和文化上的「小異」，而以「人種」（race）將人類分等分級並作出歧視甚至壓迫的「種族主義」（racism），是我們必須堅決拒斥的思想糟粕。

3.6 語言發展
推動心靈躍升

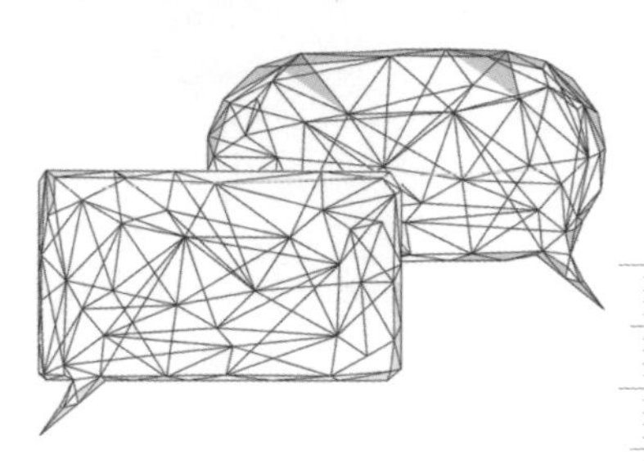

語言是人類與動物最重大的分野。雖然科學家曾經不懈地嘗試斷定某些高等動物是否擁有原始的語言（最著名的是約翰 • 利尼（John C. Lilly）於上世紀對海豚語言的研究），也曾努力地向黑猩猩（如Washoe）、大猩猩（如Koko）和倭猩猩（如Kanzi）等教授人類的語言（主要是美式手語），但研究的結果表示，人類掌握語言的能力，確實遠遠在海豚或猩猩之上。例如，上述經過長時間訓練的猩猩，達到的最高語言能力，也只是與一個5、6歲大的幼兒相若。

語言對人類的成長實在太重要了。動物對周遭環境的反應，大部分都出自生物性的本能，其間即使有一點兒理性思考（如一頭黑猩猩遇到難題要克服時），都只是一瞬即逝。透過了語言，人類可以進行持續得多的也複雜得多的思考。更且，它使人類不再被「囚禁」在「現在」這一刻，而可以馳騁於過去和未來。具體來說，他可以記述、回顧、分析、討論、總結和評價過去發出的事情，以及臆測、討論、預計、規劃和審視未來可能發生的境況。

總的來說，透過了語言交流，人類大大增進了他的知識，也擴闊了他的世界。透過了彼此的辯論，人類也提升了他的思考和分析能力。從此，每個人的種種經歷都可以讓其他人分享，而所有這些「故事」的累積便構成了不同民族的歷史，再加上豐富的想像便成為了神話和傳說（印度和希臘的史詩是最佳的例子），而故事中的教訓和智慧則被提鍊成各種詩篇、格言和箴言，從而世世代代的流傳下去。

語言或早於20萬年前出現

可以這樣說，語言是人類心靈躍升的推進器，是真正令人類與動物分道揚鑣的因素。

最早的高等語言在甚麼時候出現，是古人類學中一個最難回答的問題。這是因為我們的舌頭和喉頭的軟骨不會留下化石，而即使我們掌握了有關的資料，也難以準確反映出當時語言的發展程度。近年來，一些科學家既按照古人類頭骨的型態以推斷掌管語言的「布羅卡區」（Broca's area）的發達程度，也按照大量的環境證據（例如大型協作狩獵的出現時間），推斷語言的出現可能早至20、30萬年前，但也有科學家並不同意，認為年代可能晚至五萬年（即克羅馬農人出現的年代）。迄今為止，科學界仍然未有定論。

今天，我們把任何一個初生嬰兒放到任何一個社群，他（她）成長時都會輕易掌握那個社群的語言，那怕該種語言是英語、粵語、俄語、阿拉伯語、瑞典語還是新畿內亞深谷中某個原始部落的語言。這種驚人的能力，一度令科學家推斷，人類大腦中必然存在著一套「語言方程式」，其間還包含著一種跨越具體語言文法的「深層文法」（Universal Grammar）。最先提倡這種觀點的是美國語言學家諾姆•喬姆斯基（Noam Chomsky）。雖然這個理論的具體觀點引起了不少爭議和批評，但喬氏的觀點仍是甚富啟發性的。有興趣想了解多一點的讀者，可以閱讀由史提芬•平克（Steven Pinker）所寫的暢銷書《語言本能》（*The Language Instinct*, 1994）。

書寫文字的發明，將語言的威力以倍數提升。可以這樣說，如果1.2萬年前左右的農業革命導致初階文明的出現，那麼約6,000年前的文字出現則造就了高階文明的起源和演化。而約600年前的「印刷革命」，則是現代文明的濫觴。

正如上文所說的文化發展一樣，語言是人類高等意識的產物，但反過來說，高等意識也是語言的產物。哲學家維根斯坦（Ludwig Wittgenstein）便曾經說過：「我在語言上的局限，就是我在認識世界上的局限。」可以設想，如果人類能夠延續至一萬年甚至十萬年後，那時的語言必定比今天的豐富和深邃得多。

3.7 人的需求
從生存到尊重

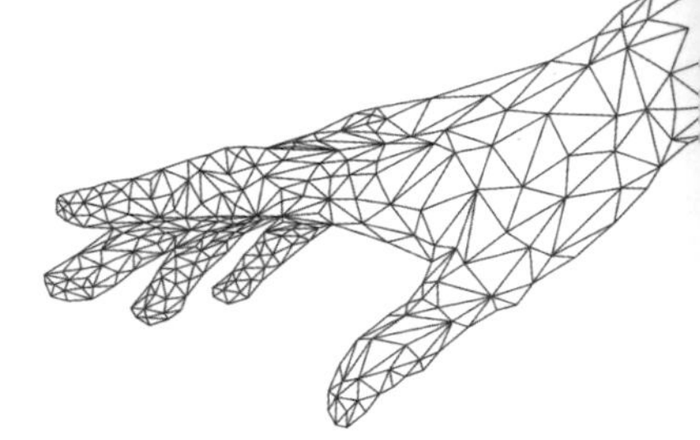

在男女關係之中，女性最大的幸福是得到終身伴侶的忠誠、關懷和悉心愛護；而男性的最大幸福，是得到終身伴侶的尊重、認同和欣賞。將上述兩者加起來，基本上已涵蓋了人類融洽相處的真締。

更具體的一點看，於上世紀中葉，心理學家馬斯洛（Abraham Maslow）結合了個人的基本需要和社群生活的需求，提出了著名的「需求層次理論」（hierarchy of needs）。這些需求以金字塔形式表達，最強的基本需求被置於底部，而往上每層的需求既建基於以下的層次，也為更高層次的需求提供了的基礎。這些層次（由底到頂）分別是：

1. 生理需求：如食物，水、空氣、睡眠、性生活等；
2. 安全需求：人身安全、生活穩定、免受傷害和威脅等；
3. 社交需求：如友誼、愛情、歸屬感、認同感等；
4. 尊重需求：受到尊重、欣賞；別人對自己有信心，從而獲得成就感；
5. 自我實現需求：學習、發展、創造、發揮潛能、實踐抱負。

顯然，一個健康的社會必須盡量提供機會，以令成員能夠滿足上述的要求。宏觀地看，這當然亦是我們所必須開拓的「人的處境」。

但事情真的這麼簡單嗎？在滿足這些需求時，人與人之間是和衷共濟、互惠共贏的時候多？還是因為「零和遊戲」的邏輯而爾虞我詐、你爭我奪的時候多？對此，歷史上的記載並不使人樂觀。我們不禁要問：人世間的爭鬥真的無可避免嗎？

再一次地，我們回到了「性善論」和「性惡論」的對立。以下，就讓我們看看近代的人類學者在研究這個問題時，找到了甚麼新的觀點和洞悉。

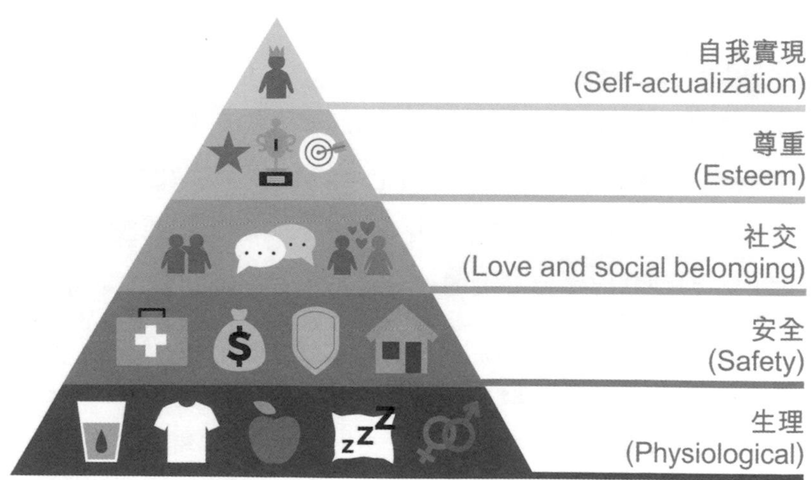

3.8 群內與群際競爭：善、惡根源再探

我們已經多番強調，人是群體性的動物。英諺有云：「沒有人是個孤島。」（No man is an island.）的確，所謂「物以類聚、人以群分」，不論是同學會、同鄉會、工會、退伍軍人俱樂部、還是羽毛球會、天文學會、詩社、議政團體、環保團體……在茫茫人海之中，我們總有一種想隸屬於某一群體的強烈傾向。這是因為，我們的自我形象和身份認同，基本上皆由此而來。進一步說，一種歸屬感（sense of belonging）是安全感甚至幸福感的重要組成部分。

上文提過，群體中的人有守望相助的傾向，而高尚的行為會受到族人的讚許。但從「自私基因」的演化角度看，這是頗為令人費解的。在生存競爭（即資源競爭）的過程中，如果我不顧他人而盡量將有限的資源攫取，我的基因遺傳下去的機會不是更高？而這種傾向不是會自我強化和擴散嗎？

我們之前在介紹「利他性行為」之時已經碰到類似的困惑。但那時我們沒有引入「群內競爭」和「群際競爭」的分野來考察問題。現在，就讓我們從這個角度作出更為深入的探討。

群內競爭與群際競爭

大部分群居的生物都會形成大小不一的群落，例如狼群的成員一般由6、7隻至十多隻不等、狒狒的可由30、40隻到近百隻，而海豚的社群平時有十多條，但在協作獵食時則可合併多達過百條。

在大猿的世界，大猩猩的群落一般只有20至30個成員，黑猩猩的可擁有30至80個成員。在人類世界，今天在地球上碩果僅存的原始部落（如在亞瑪遜森林中的部落），每個群落（村莊）的人口由50至數百不等。

那麼遠古的人類又如何呢？按照人類學家的研究，在人類還在採集和狩獵的階段，每個群落的成員數目一般大概從十多個到數十個。一萬多年前的農業革命，令群落的規模大幅提升，可以居住數百人的村莊很快成為了常態。

上文亦曾指出，正如黑猩猩的群落會發生暴力衝突一樣，古人類的部落之間也必然會因為資源（狩獵場、採集區、水源等）的爭奪而經常發生衝突。而由於人類懂得製造工具，殺人武器的製作和不斷「改良」，令這些衝突變得愈來愈血腥殘忍。在衝突中落敗的一族，甚至有可能被戰勝者屠殺怠盡（羅馬滅伽太基、成吉思汗滅花剌子模等都是歷史上「著名」的例子）。

在人類世界，這種群落間的衝突更被提升到意識型態的層面，那便是我們（及我們的神）是正義的，而「他們」（及他們的神）是邪惡的。所謂「非我族類，其心必異」，而「犯我者、雖遠必誅」。在誅殺的過程中，所有泯滅人性的殘暴行為都可以在「民族」和「愛國」之名下作出。（廣義來說「泯滅人性」一詞自不成立，因為「惡」也是人性的一部分。）

但弔詭的是，所謂「團結就是力量」，在殘酷的「群際競爭」中，族人的團結與否是成敗的關鍵因素，而要團結，成員之間必須彼此尊重、信任、幫助甚至悉心關懷和照料。在過往，上述的良好關係只局限於與自己有直接血緣關係的宗族，但為了對付外敵，這種關係和感情必須（至少在某一程度上）延伸至整個部族的成員。

群落不夠團結　群際競爭必敗

中國自古便有「覆巢之下無完卵」、「未有國，那有家」和「匈奴未滅，何以為家」的說法。由此出發，我們發展出「國家興亡，匹夫有責」和「犧牲小我，完全大我」的高尚情操。

至此，我們開始對「自私殘忍」的邪惡天性和「無私善良」這種高尚情操如何同時在人類演化的歷程中出現，看出了一點端倪。

不錯，即使在同一個群落之內，「守望相助」也可以是一種符合個體利益的生存策略。試想想獨自一人迷失荒野的生存機會，以及一群守望相助的族人迷失荒野的生存機會，其中的道理便明顯不過。但比起「楊朱哲學」中的「不拔一毛以利天下」，以及曹操的「寧教我負天下人，休教天下人負我」這等絕對自私的策略，「樂於助人」實在很難招架，以至很快便會在演化邏輯之下被淘汰。「樂善好施」和「救傷扶危」之所以能夠成為「人性」的一部分，「群際競爭」的需要應是箇中的關鍵。簡單的邏輯是，沒有發展出彼此關懷和守望相助情操的群落，最終會因為不夠團結而在「群際競爭」中被淘汰。

我們如今看得更清楚了。站在我們肩膀一左一右的那個魔鬼和天使，他們的來源是複雜且弔詭的。「魔鬼」（即惡的傾向）既來自「群內競爭」時的天然自私傾向，亦來自「群際競爭」時要把敵人殲滅的殘忍傾向。與此同時，「天使」（即善的傾向）則來自「守望相助」所帶來的益處，但更重要的，是「群際競爭」（抵禦外敵）時所促進的團結、互助、慷慨、奉獻，甚至自我犧牲的無私精神。

人性這種「善、惡並存」的深層結構令他永遠生活在矛盾之中。「外敵當前要團結，外敵消失後繼續內鬥至你死我活」是人類歷史上屢見不鮮的悲劇。中國上世紀的抗日和及後的內戰就是最佳的寫照。而科幻小說中，亦曾描述人類因為要對抗外星人的侵略而放下紛爭團結一致，但一旦外敵消失，各國立即回復到爾虞我詐爭權奪利的狀態，以至全球烽煙再起。

著有《地球的社會性征服》（*The Social Conquest of Earth*, 2012）的「社會生物學」始創人威爾遜這樣說：「人的處境就是一場無處不在的鬥爭，這是由創造我們的演化歷程所決定的。我們本性中最好和最壞的東西必然並存，而且永遠如此。假如我們有一天能夠將人性淨化，我們創造的，將會是一個我們不再熟悉的新品種。」

回顧過去，展望將來，「群際競爭」固然間接產生了人性中的「天使」，但在核子武器的年代，這種以「我們」必須壓倒「他們」為宗旨的「群際競爭」，已經可以將人類陷於萬劫不復的境地。

近年來，一些學者從社會心理學（social psychology）的最新研究出發，提出只要人類能夠認清事實，他既有潛質亦有能力走出自相殘殺、自我毀滅的宿命。其中較突出的著作是David Precht所寫的《無私的藝術》（*Die Kunst kein Egoist zu sein*, 2010）、Steven Pinker 所寫的《人性中的善良天使》（*Better Angels of Our Nature*, 2011），以及 Rutger Bregman所寫的《人慈》（*Humankind : A Hopeful History*, 2019）。這些學者是否過於樂觀？各位讀後可以自行判斷。

總的來說，在全人類憂戚與共的今天，我們必須確立的認識和原則是：人之所以偉大，主要因為他懂得協作和創新，而不是因為無休止的競爭。現代社會過分強調以「零和遊戲」（zero-sum game）為原則的競爭已經不合時宜。我們必須開創的，是「非零和遊戲」的大規模協作。只有這樣，我們才可解決當前種種巨大的難題，讓人類這個「最為天下貴」的族類得以延續。

人追求甚麼？

4

4.1 個人與世界

有關「人的處境」，我們其實可以從兩個層次來理解：一個是以「人」作為一個獨一無二的生物族類，另一個則把「人」看成為一個獨一無二的自覺主體。迄今為止，筆者集中探討的是第一個層次。但在這一章，我將會集中探討絕大部分人文主義者所最為關心的第二個層次。

既然集中於個人，便讓我們先看看個人與世界的關係。首先，每個人來到這個世界都是身不由己的。存在主義者（existentialists）說我們被「投擲」到這個世界，頗有無奈與不忿之感。當然這個說法有點玄（也可說牽強），因為我們從未經歷「不被投擲」的狀況，所以根本無法作出比較，既無法比較，便不能說何者孰優、何者孰劣。而想像自己的「不存在」（沒有出生）和想像「時間停頓」一樣，在邏輯上屬不可能。

出生後，我們都必須經歷嬰兒、孩童、少年、成年、中年和老年這些成長（和衰退）的階段，哲學家和其他人文主義者在討論「人的處境」時，大都集中於成年和中年的階段，嚴格來說，這是一種「成年中心主義」。

筆者也不能脱俗，所以往後探討「人追求甚甚麼」時，也會集中於個人的成人階段（就以18歲為起點吧）。但在此之前，也讓我們看看個人成長的一些里程碑。

自我的建立與同理心的發展

兒童心理學家的研究告訴我們，嬰兒的世界最初沒有「我」和「非我」之分（這當然只是一種間接的推斷）。「自我」的觀念，大概要到兩歲左右才逐漸形成。當我們進入孩童階段，便開始明白我們不能事事為所欲為，欲望也不能像嬰兒時期那樣容易得到滿足（那時只要靠一個手段便可：哭！）。無論我們多麼不願接受，我們開始明白「自我」（以及外在的世界），原來有的諸多的局限性。

從孩童邁向少年期間的另一個重大體會，是「凡他皆我、凡我皆他」這個既平凡又深刻的道理。這個體會是一切「同理心」的起點，

是「己所不欲，勿施於人」的基礎。但嚴格來說，這種體會永遠是神秘的、不徹底的。這是因為定義上，「我」永遠只能有一個，我之認識到其他人也是一個「我」，是一種極其抽象的「認識」。對於我來說，「我」就是世界的中心，甚至可以說「我就是世界」；但與此同時，我明白到「他」的「我」也是「他」世界的中心，甚至是整個世界。這種「明白」是超越體驗的、是難以言說的。

「凡他皆我」是尊重別人和憐憫之心的基礎，莎士比亞在《威尼斯商人》（*The Merchant of Venice*）中說：「如果你刺痛我們，我們不一樣流血？ 如果你搔癢我們，我們不一樣會笑？ 如果你毒害我們，我們不是一樣會喪命嗎？」這是人道主義精神的最佳詮釋。粵劇《搜書院》中紅線女唱道：「我不信奴婢生成偏命苦，任人拷打任鞭笞；我不信你富我貧分貴賤，試問誰無父母養育多年………」的確，明白到每一個人都由父母所生、有父母所愛，是博愛精神之本。

將愛己之心延至他人

以上的成長歷程，與心理分析（psychoanalysis）的創始人佛洛依德（Sigmund Freud）所論述的從「原我」（id）到「自我」（ego）到「超自我」（super-ego）的演變大致相同。「超自我」的特質就是超越自我的欲求，將愛己之心延展至別人之子、別人之女（即所有人）。

除了懂得尊重別人外，隨著我們的社交圈子不斷擴大，亦會了解到「人心不同，各如其面」、「同檯食飯，各自修行」、以及「若要人似我，除非兩個我」的道理，從而明白「人無完人」，因此要懂得欣賞他人的優點和接受他們（特別是我們最好的朋友和終生配偶）的缺點，並「以責人之心責己，以恕己之心恕人」。當然，這實在是一生也上不完的一堂課。

接著下來，是「時光逝去永不再返」的深刻體會，以及「今天是昨天的未來，也將成為未來的昨天」的理解。進一步說，就是「變幻原是永恆」。古希臘哲學家赫拉克利特（Heraclitus）說：「人不能重複踏進同一條河裡。」（因為河變了，人也變了），孔子的門生則記載了「子在川上曰，逝者如斯夫，不捨晝夜」這個巨大而深沉的喟嘆。其實大部分人無需讀過這些句子，都會有（即使如何隱約）類似的感受。喜歡深思的人，甚至會得出「當下就是永恆」這個哲理性的結論。

生命有限 盼人類光光相攝

隨著「時光一去不返」出現的，往往是「生命有限」的體會。對很多人來說，覺悟自己「終會一死」是極度震撼和令人沮喪不安的事情。沒有人（至少在少年時代）可以坦然地接受以下這個事實：他所知、所感、所愛的一切會有一天化為烏有。我們的第一個反應多會是，那麼我生於世上究竟為了甚麼？我所做的一切一切還會有丁點兒意義嗎？

由恐懼到憤怒到絕望，天生敏感的人這時會陷入一種可怕的憂鬱狀態。絕大部分人都會透過繼續不斷的生活實踐，從這種狀態（又稱「青春煩惱期」或「少年抑鬱期」，它們或多或少跟身體中的激素變化有關）之中走出來。而對死亡的恐懼，會從此被規限至意識之下而不影響日常生活。有極少數的人會因此成為了觸覺敏銳的天才藝術家，而最不幸的更少數人，會因此而了結自己的生命。

存在主義哲學家薩特（Jean-Paul Sartre）宣稱：「世界是荒謬的，人生是痛苦的，生活是無意義的。」另一位存在主義者卡謬（Albert Camus）更謂：「世上只有一個真正嚴肅的哲學問題，那便是自殺。」歸根究底，我們苦苦追求人生的意義，是要回答一回揮之不去的問題：「我的存在與否究竟有甚麼分別？」

這本書很大程度上也是為了回答這個問題而寫的。但在繼續我們的旅程之前，我想和大家分享唐君毅先生在《人生之體驗》一書中，有關他對個人與世界的一些睿智的洞悉。

就個人的獨特性，他這樣說：「如是之你是亙古所未有，萬世之後所不能再遇……你之唯一無二，使你的存在有至高無上的價值。」

就個人的孤獨和寂寞，他說：「吾念及此，覺一切所親之人、所愛之人、所敬之人、所識之人，皆若橫佈四散於無際之星空，各在一星，各居其所。其間為太空之黑暗所充塞，唯有星光相往來。星光者何？愛也、同情也、了解也。」

他又進一步說：「吾念以上種種，吾不禁悲不自勝。吾悲吾之悲，而悲益深。然吾復念，此悲何悲也？悲人生之芒也，悲宇宙之荒涼冷酷也。吾緣何而悲？以吾之愛也。吾愛吾親愛之人；吾望人與人間，皆相知而無間，同情而不隔，永愛而長存；吾望人類社會，化為愛之社會，愛之德，充於人心，發為愛光，光光相攝，萬古無疆；吾於是有此悲。悲緣於此愛，愛超乎此悲。」

4.2 人生的基本——生存

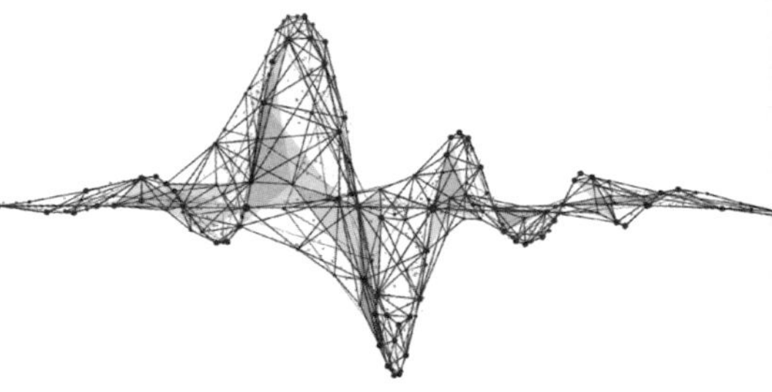

哲學家羅素（Bertrand Russell）曾經說：「有三股動力推動著我的一生：對真理的追求、對愛情的追求、以及對人類苦難的極度不忍之情。」筆者求學時期思考人生，則曾於記事簿上寫道：「人生的目的在於追求快樂，以及幫助別人得到快樂。」

事實上，「我應該追求甚麼？」是每一個人都會碰到的問題。古今中外，不同的人對這此提出了不同的答案。但綜合起來，大致可以歸納如下：

- 在最高的層次是「真、善、美」；
- 在最為世俗的層次，是名譽、地位、金錢、權力、以及（在男權宰制的年代）女人；
- 在中間的層次是平安和天倫之樂。

在筆者看來，「人生真締」的最高度概括應是以下這16個字：「生死愛恨、貧富貴賤、真假美醜、善惡榮辱」。能夠參透這16個字的人，可謂不枉此生矣。

但要全面地揭示「人的處境」和探討「人應往何處去？」，我們還是有必要更為具體地分析人類追求的內容。以下筆者列出了人類歷來追求的各種目標，第一項要考察的是「生存」。

生存是最基本的，因為沒有了生存便甚麼也不用說。生存的反面是死亡，是人類恐懼的最大來源。可以這樣說，我們的人生觀歸根究底就是一種「生死觀」。

有趣的是，正如上文提到的「被投擲」而生，我們對死亡的恐懼也是十分微妙而弔詭的。兩千多年前，古希臘哲學家依壁鳩魯（Epicurus）便精闢地指出（以下是筆者的自由翻譯）：「我在死不在，死在我不在，老死不相見，何苦來由哉？」

絕境求生乃生物演化特質

不是嗎？死亡未到之前我們為甚麼要怕他？死亡來臨之後我們憑甚麼怕他？

當然這只是一種概念上的想法，而我們對死亡的恐懼是與生俱來的，更多的雄辯也改變不了。我們可以在知性的層面克服對死亡的恐懼，但在物性和感性的層面卻不能。生動點說，大腦皮層的灑脫，敵不過小腦甚至腦幹的執著。甚至可以說（只是一種科學上的臆想），腦幹從來不接受自身死亡的可能性，而總以為可以永生不死。不用說，由此而衍生的「絕境求生」的意志，是生物演化上無比珍貴的一項特質。

由演化邏輯提升到觀念和價值的層面，我們說「生存是人的天職」。歷來不少文學和戲劇作品皆對此作出謳歌。例子包括電影《浩劫重生》（*Castaway*, 2000）、《少年Pi的奇幻漂流》（*Life of Pi*, 2001）、《引力邊緣》（*Gravity*, 2013）和《火星任務》（*The Martian*, 2015）等虛構故事；

而根據真人真事改編的則有《天劫餘生》（*Alive*, 1993）、《冰峰168小時》（*Touching the Void*, 2003）和《127小時》（*127 Hours*, 2010）等。留意故事中的人物只是自救而非捨己為人，但我們觀看時仍會覺得十分感動。

大限來到 人必有一死

儘管我們的軀體拒絕接受死亡，但「人必有一死」，是「人的處境」中最能確定（甚至是唯一能確定）的事情。無論你如何叱咤風雲位高權重，或只是一個無名小卒甚至是街頭的流浪漢，大限到來之時任誰也躲不了。之所以有人說，死神是最公平的。(但平均而言，社會學家的研究顯示，富人的平均壽命明顯高於窮苦階層。)

人的年壽有限已教人肅然，但原則上我們可能隨時因意外死亡，或是因重病離世等可能性，更大大增加了我們面對人生的唏噓和嘆喟。所謂「閻王要你三更死，誰敢留人到五更」，沒有人能夠準確預測，我們將於哪一天及以怎樣的形式離開這個世界。如果你是一位年華雙十的青年，這一天可能在七十多年後，也可能是明天。所謂「天有不測之風雲，人有旦夕之禍福」，這種「人生無常」的不確定性，是繼年壽之外，有關「人類處境」的最大特徵。(筆者執筆前兩天，便有一名十八歲的青年郊遊時不幸被雷電擊中身亡。)

猶有甚者，才華橫溢的青年因患上絕症英年早逝、老年人久病纏身甚至完全喪失自理能力卻長年在世⋯⋯所謂「想留的留不低、想走的走不了」，這正是人生最大的無奈。

另一種無奈，是無論身體機能如何衰退，只要不是患了腦退化症，一個98歲的老人在臨死前，心境往往仍然是18歲⋯⋯

中國自古有「生死有命，富貴由天」的說法，就是叫我們毋須對「生死」和「富貴」過於執著，一切應以「平常心」待之。這當然是知易行難，但比較下來，在生死觀方面，中國歷來確較西方灑脫。我們未必能夠做到好像莊子般，在妻子離世後「鼓盆而歌」，但自秦始皇派人遠赴東瀛求不死之藥，平民百姓對歷代帝王的鍊丹求仙，皆頗有搖首嘲笑的況味(因為未有一次成功也)。

西方求永生 中國文化較灑脫

在西方的基督文明裡，上至國王下至平民及至高級知識分子，他們對「永生」的追求是認真的。相反，「人死如燈滅」、「樂天知命」、「樂生安死」、「瀟灑走一回」等觀念很早便成為中國文化的一部分。而對於高壽離世的人，我們甚至標榜「笑喪」這種思想。

宋朝詩人陸游的一首〈示兒〉，頗能道出中國人的生死觀：

死去原知萬事空，
但悲不見九州同。
王師北定中原日，
家祭毋忘告乃翁。

從表面看來，頭一句斬釘截鐵地認定「死去萬事空」，那麼末句為何還要叮囑兒子「告乃翁」呢？這正是中國文化脱拔的地方：在邏輯的層面首尾兩句是矛盾的，但在精神境界的層次卻並無矛盾之處。

筆者多年來思考生死問題，很早便以「熱切地擁抱生命，坦然地面對死亡」（Eager to live; ready to die!）以自勉。多年前觀看電影《星空奇遇記VIII：星空第一擊》（*Star Trek: First Contact*, 1996）之時，劇中人Worf在開場不久說了一句"Maybe today is a good day to die!"可謂深得我心。（中文的「今天可能是最適合死亡的一天！」因為無法將動詞放到最尾，所以難以譯出它的精妙之處。）這句說話的豪情，只有孔子的「朝聞道，夕死可以」能夠超越。

我們當然應該尊重生命、熱愛生命、珍惜生命。所以我自許的另一句說話是：「對他人的死亡戚然，對自己的死亡坦然」。

科幻女作家烏蘇拉 • 勒岡恩（Ursula Le Guinn）在她的小說《地海傳說》（*Earthsea series*）中這麼說：「拒絕死亡，就是拒絕活著。」這是一個十分深刻的道理。試想想，如果生命無限，則所謂「明日復明日，明日何其多」，任何事情也可以留待「明日」才做而毫無迫切性。正由於生命有限，我們才會認真地思考生命，並且好像電影《暴雨驕陽》（*Dead Poet Society*, 1989）所勸勉的「捉緊每一天！」（Seize the day!），從而活出燦爛的人生。

難怪曾經有人說：人一生會活兩次。當我們知道只能活一次時，便是第二次的開始。

生存是人的天職

說來奇怪，我們說「螻蟻尚且貪生」，但作為「萬物之靈」的人類，反而會有「求死」的時候。佛洛依德曾謂人在潛意識中有一種「死亡的衝動」（death drive），並稱之為「桑納托斯」（Thanatos）。無論他這個理論有否科學根據，當一個人經受太大打擊（如家破人亡），確會有「萬念俱灰」和「生無可戀甘為鬼」的感覺。所謂「生亦何歡？死亦何懼？」，清末民初學者王國維50歲時自殺，遺書上便寫道：「五十之年，只欠一死」。卡謬若是得知，必然引為知己。

然而，對於絕大部分人來說，「生存是人的天職」依然是顛撲不破的真理。在世上的各大宗教裡，自殺都被視為「有悖天理」的行為，而自殺的人都不會被「天堂」所接收。

這種必須「順應天道」的思想不獨限於虔誠的宗教信徒。上世紀五十年代，一名20歲的重慶農家青年劉國江愛上了大他10歲的寡婦徐朝清。為了逃避世俗的流言蜚語，兩人於是私奔至深山。為了愛侶出入時的安全，劉國江花了50年的時間，以雙手鑿出了一道六千多級的「愛情天梯」。2012年，這個感人的傳奇被拍成紀錄片。這時劉已逝世數載，但八十多歲的徐朝清仍獨居山上。當訪問者問她是否仍然惦念丈夫時，她這樣答：「我每天都等他來接我走，但他就是不肯來。」

這句說話包含的道理再深刻也沒有。請試想想，徐朝清已八十多歲，而她居住山上，只要找一處懸崖蹤身一躍，便可與她的愛人團聚。但她不能這樣做，因為這違反了「生存是人的天職」這項原則。在「人的處境」當中，沒有一個原則比這個更根本的了。

4.3 集體的延續——繁衍

「性衝動」跟「生存是人的天職」好像沒有甚麼關係。但前者涉及人類個體的延續，而後者則關乎人類整體的延續，兩者是同出一轍的。

簡單的邏輯是，個體不能延續，固然談不上族類的延續。然而，作為群居性生物，群體不強盛的話，個體的延續也無法保障，長久以來，群體的強盛便等於開枝散葉、人強馬壯。（請回顧上一章有關「群際競爭」的分析。）

孔子說：「飲食男女，人之大欲存焉」，「飲食」就是個體的延續，而「男女」之事就是族類的延續。

自文明的起源和演化，「男女之事」已從婚姻擴大至家庭再擴大至宗族的層面。而宗族倫理中的頭等大事是「繼後香燈」。所謂「不孝有三，無後為大」，追求子嗣是繼個人生存之後的第二大「人的追求」。而「斷子絕孫」便是對敵人的最大詛咒。

話雖如此，性慾這種衝動是如此的原始和強烈，任由它隨意發洩（特別在沒有避孕技術的年代）可以嚴重動搖宗族和社會的秩序，所以人類又發展出「男、女授受不親」的「性禁忌」，甚至「萬惡淫為首」等強力的制約觀念。

性禁忌與性衝動之間的張力是「人類處境」一個重要的主題，佛洛伊德將包括性衝動的原始欲念稱為「力比多」（libido）。在《文明及其不滿者》（*Civilization and its Discontents*, 1930）這本著作裡，佛氏認為文明對這些原始欲念所作的種種規限，是人類總是無法獲得真正快樂的一個深層原因。

對性愛的追求超越繁衍目的

看看「飲食」和「男女」這兩種原始欲念的異同是頗為有趣的。性衝動是如此強烈的一種衝動（足以令位高權重的人身敗名裂），卻是與個人的存活無關。沒有了「飲食」，無論個人或整個族類都會死，但沒有了「男女」的話（如全世界的和尚、尼姑、神父、修女……），個人完全可以繼續生存。當然，如果所有人都不再「男歡女愛」，整個族類很快便會滅絕。

另一方面，隨著文明的演進，正如人類對「錦衣美食」的追求已經遠遠超越了「蔽體」和「充饑」的目的，人類對性愛的追求，也遠遠超越了族類繁衍的目的。筆者雖然沒有做過正式的調查統計，但估計今天在較發達的國家裡，採取了避孕措施（避孕藥、避孕套）或女性已「停經」後所作出的性交頻率，必然遠遠大於可導致懷孕的性交頻率。

從心理學的角度，不會導致懷孕的性生活對人類仍是十分重要的；但對於關注族類繁衍的人類學家來說，可導致懷孕的性行為才是關鍵所在。

這便把我們帶到一個有趣的弔詭。在不少宗教裡，按照教義，人類最光榮的責任是敬拜神、歌頌神和侍奉神，而最能貫徹這一責任的做法，是奉行獨身主義成為神職人員（如方才提到的神父和修女）。佛教雖是無神論，但出家為僧為尼，卻無獨有偶被視為修行的最高境界。但試想想，如果這種思想遍及全社會，人類很快便會滅絕。當然，所有人皆「蒙主寵召」在天堂與上帝共享永生，或所有人皆達於彼岸早登極樂，以至紅塵中再無一人，可能真的是這些宗教的終極目標，但起碼它們從來沒有開門見山地如此宣稱。

我們當然知道「全人類都選擇出家」在現實中不會發生（泰國的折衷辦法是除了僧侶外，所有成年男子都會在一生中短暫出家），但無需宗教的呼籲，現代人正面臨著類似的「趨於滅絕」挑戰。筆者講的是，過去大半個世紀以來，幾乎所有經濟發達的社會都出現「出生率下降」並由之而引起的「老齡化」問題。人口學家稱這個現象為「人口塌縮」（population implosion）。

出生率下降致人口塌縮

雖然看起來有點似一部黑色荒誕劇的情節，但事實是，今天可能是有史以來，人類首次同時受到「人口爆炸」和「人口塌縮」兩面夾攻的嚴峻時刻。上世紀中葉，大部人關注的是前者；但很快，後者（特別是由此導致的老齡化和勞動力不足）亦成為一個重大的社會議題。任何關心「人類處境」的人，都必須認真地對待這兩項挑戰。

要回應這兩項挑戰其實十分簡單，那便是每對夫婦生育兩個子女。數學上，超過兩個會導致人口出現不可持續的指數增長（exponential increase），而少於兩個則會導致同樣不可持續的指數遞減（exponential decrease）。由於每代的父母親終會過世，「兩個生兩個」這個「補充水平」（replacement level），是唯一可以維持人口穩定不變的做法。（因為考慮到夭折和長大後選擇獨身的可能，人口學家認為更準確的數字是2.1個，即十對夫婦生21個子女。）

人口不再增長？這的確與不少人根深蒂固的「開枝散葉」觀念相牴觸。在《舊約聖經》的〈創世紀〉裡，上帝不是叫亞當和夏娃「出去繁衍吧」（Go forth and multiply）嗎？但今時不同往日，今天全球人口是80億，而專家認為，這個數字在本世紀下半葉會超過110億，此乃自人類在地球上出現到二十世紀中葉（即7萬年前至1950年）的所有人類數目的總和，從任何角度看都應該足夠了。顯然，「量」的穩定，才可讓人類專注於「質」的發展，這便等於一個人長大成人之後身體不再生長，但經驗和智慧卻仍可不斷增長一樣。

在貧困落後的國家，一對夫婦生育十個八個子女，固然會導致災難性的人口爆炸，但長遠來說，更令人憂慮的，是只要社會發達到某一個程度，很多夫婦都會選擇只生一個，甚至完全不生育這個趨勢。（不少人甚至選擇不結婚。）傳統社會中的「養兒育女是人的天職」（所謂「老竇養仔仔養仔」）這個觀念，正受到前所未有的挑戰。

究竟是甚麼原因令這些夫妻作出這樣的選擇？社會心理學家至今仍未有定論。如果你直接問這些人，除了經濟因素外（傳媒吹噓養大一名子女最少要花數百萬元），答案不外乎「責任太大了」、「世間太醜惡了」、「社會太混亂了」，以至「無法保證他（她）可以有安穩美滿的人生」等。結果，不少人寧願飼養寵物（甘願成為貓奴、狗奴）也不肯成為父母。

奇怪的是，儘管在中國八年抗戰的極艱苦日子裡，這些都不是人們掛在口邊的理由（當然那時沒有今天的超廉宜又方便的避孕技術，所以是沒有選擇。）。按筆者推斷，不願生育是一個牽涉環境污染、大腦激素改變、工作壓力過大、居住環境過分擠迫、社會過分強調競爭和成敗得失、高度注重私人空間（物質上和精神上的）、高度追求個人自由和物質享受、普遍的心靈空虛、對社會前景及至人類前途失去信心等等多種因素的一個複雜問題。不幸的是，對於這個問題的解答已經遠遠超越學術討論的層面，因為老齡化已開始令社會不堪負荷。

人生苦短 生命則延綿不斷

讓我們回到「人生苦短」的層面。不錯，生命有限，所謂「匆匆數十寒暑」，甚至有如「白駒過隙」，轉眼便到「昔日笑談身後事，今朝都到眼前來」的一刻。但作為哺乳動物的一種，我們已算十分長壽了。君不見我們的愛犬即使如何聰明伶俐善解人意，不足二十個年頭便要和我們永訣。長與短其實是相對的，人生的基本道理是，我們一出生便向著死亡進發，這是「旅程比目的地重要」這個道理的終極示範。我們應該追求的，當然是旅程上的多姿多彩。

香港跑馬地天主教墳場的門口有一對著名的對聯：「今日吾君歸故土，他朝君體也相同」。是的，我們每個人都只是這個世界中的過客，有人來得早些，有人來得晚些；有人留得長久些，有人留得短暫些，但與亙古的宇宙相比起來，我們都只是有如夜空中一瞬即逝的流星。重要的是，我們在世時曾經摯誠的笑過、哭過、愛過、活過。

以上是在個人層面而言，在整個族類的層面，人的生命卻是（起碼迄今為止）延綿不絕的。打個比喻。個人的生命便有如一根粗麻繩中的一條條幼線。每條線的長度皆十分有限，但大量的線彼此纏結絞合，卻代代相傳而造就了一條歷數百萬年而未曾中斷的長繩，這條長繩包含著人類所有的喜、怒、哀、樂，也包含著他所有的錯誤和成就。

正如生存是「人的天職」，繁衍也是「人的天職」。就筆者個人來說，個人死亡的坦然，離不開族類繁衍帶來的慰藉。

正因如此，筆者看過最沉重的一本書，是喬納森 • 謝爾（Johnathan

Schell）於 1982似所發表的《地球的命運》（*The Fate of the Earth*）。當時正值美國和蘇聯兩個超級大國劍拔弩張的「冷戰時期」（Cold War era），一些科學家受到剛被提出的有關恐龍滅絕的「小行星碰撞假說」啟發，指出如果美、蘇之間真的爆發核子戰爭，所導致的塵埃和灰燼將會直衝雲宵，而所帶來的「核子冬天」（nuclear winter）將會導致生物界的大滅絕。在《地球的命運》這本書中，喬氏正是要求我們嚴肅地正視，人類作為一個族類將會因此而滅絕的可能性。果真如此，人類的一切成就，包括李白和杜甫的詩句、巴哈和貝多芬的音樂，以及達爾文的演化論和愛因斯坦的相對論等，將在時間的洪流中灰飛湮滅。雖然是多年前閱讀的作品，但筆者至今仍能感受當時那種使人窒息和絕望的感覺。

隨著上世紀末蘇聯解體和「冷戰」結束，世人對核戰帶來「世界末日」的恐懼已大為降低。但筆者執筆的2022年期間，俄羅斯入侵烏克蘭的戰爭仍然終結無期，而俄國領導人高調指出，如果西方全力支持烏克蘭以至損害到俄國的根本利益，俄方不排除以核子武器作出反擊。一下子，核戰末日（Nuclear Armageddon）的陰霾再次籠罩人類。「人的處境」不再是學術討論而是現實不過的問題。

4.4 生存之後的追求——自由與尊嚴

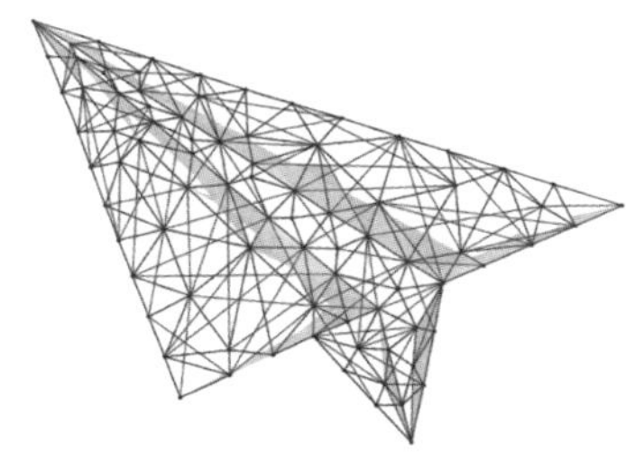

西諺中有「人不單靠麵包生活」的説法，指出了區區形體上的生存，斷斷無法涵蓋「人的追求」。在上一章我們看過馬斯洛的「需求層次」，現在讓我們在這個基礎之上，進一步探索人生在世的追求為何。

讓我們做一個擬想實驗，假設一族科技水平遠遠超越人類的外星人發現了我們，且發覺人類十分美味。此外，他們認為人類的智慧低下，屬於「低等動物」。結果，他們將所有人類圈養起來並給予最好的「飼料」，然後以人類作為他們的一個肉食來源（也許他們只愛吃我們的肝臟）。好了，在這個科幻式噩夢中，個體的生存受到了保障（外星人的擇肥而噬只是等於「閻王要你三更死」罷了），而族類也得以延續，但大家會覺得這種情況可以接受嗎？

一個更極端的情況是，如果外星人給我們選擇：一是接受上述的安排，一是被他們徹底殲滅，你會怎樣選擇呢？

顯然，僅僅生存並不足夠。所以我們會説「生存是為了生活」。至於何為「值得過的生活」，下文會逐一探討。在此，筆者只想指出一個基本條件，那便是自由。

不自由　毋寧死

詩人山陀爾 • 裴多菲（Sandor Petofi）說：「生命誠可貴，愛情價更高，若為自由故，兩者皆可拋。」更為人熟知的說法是：「不自由，毋寧死」。不要以為這是高調之詞，歷史上無數屍橫遍野的奴隸起義都因此而起。

上文曾說科學家未有在野外發現動物的自殺行為，但如果我們考察被人類囚禁的動物，卻真的有動物因為失去了自由而不肯進食，最後活生生的餓死。不少人可能不願稱此為自殺，但事實是，牠們已經失去了生存的意志，與人類的自殺本質上無異。

與失去自由密切相關的是尊嚴的喪失。所謂「寧為玉碎，不作瓦全」，由魏德聖導演的電影《賽德克巴萊》講述台灣原住民（民風強悍的高山族）在日治時代的悲壯抗爭，其中一句說話道盡了箇中的真締：「如果文明是要我們卑恭屈膝，那麼便讓我們野蠻到底！」

當然，凡事也不是絕對的。只要自由和尊嚴不是受到太大的踐踏，大部人都會將溫飽和安穩放到首要的位置，而異族統治可以維持一段頗長的時間。在中國歷史上，漢人即使經歷了「揚州十日」和「嘉定三屠」，並且被迫「留頭不留髮，留髮不留頭」，卻仍在滿州人統治下生活了二百七十多年就是一個很好的例子。

反過來說，所謂「衣食足而後知榮辱」，對於衣不蔽體，食不裹腹，終日顛沛流離、朝不保夕的人來說，尊嚴是一種奢侈品。總括而言，自由與尊嚴固然重要，「三餐一宿」、「安居樂業」也同樣重要，而兩者間的矛盾，正是「人的處境」一個永恆的主題。

自由愈大　責任愈大

在更深一個層次，一些學者更指出，我們口口聲聲說熱愛自由，但骨子裡其實害怕自由。在個人的層面，過多的選擇會帶來焦慮，甚至產生所謂「選擇困難症」；而在宏觀的層面，我們也往往討厭政治自由所帶來的爭論不休，也懼怕黨派傾軋所帶來的社會動蕩。

哲學家薩特曾精闢地指出，每當我們靠近一個萬丈懸崖之時，我們最懼怕的不是失足掉下去，而是我們會縱身一躍的那股衝動。事實是，自由帶來了責任，而自由愈大則責任愈大。不少人都其實不想承擔這些責任，而期望有一個雄才大略英明神武的領袖站出來，為我們好好打點一切。(試想想我們一班朋友到郊外露營之時，我們心中也不這樣期望嗎？)

高舉「穩定團結壓倒一切」的獨裁統治者當然最懂得利用這種心理：「只要大家肯犧牲多一點點自由，我便會為大家帶來和諧穩定。」而一個專制社會便是這樣形成和得以延續。你可以說擁護這種統治的人帶有「奴性」，但某一程度上，追求安穩的「奴性」（服從性、崇拜權威）也是演化的產物。對此，心理學家艾里希 • 弗羅姆（Erich Fromm）以納粹德國的崛起作為例子，在他的著作《逃避自由》（*Escape from Freedom*, 1941）之中對這個現象作出了深入的探討。

擁護獨裁的人刻意將「自由」與「穩定」對立起來。但我們真的要在兩者之間作出抉擇嗎？我們將在本書的續篇《人類的前途》之中再作探討。

4.5 生命的圓滿——愛與情

讓我們來做一個擬想實驗，假設一個有學歷又有才幹的人在某個大城市的一間大企業中擔任行政總裁。錢，他有了；尊重，他有了（至少在工作環境中）；自由，他也有了，但他沒有親人（可假設他是個孤兒），也沒有半個朋友，每天就是上班下班。工餘時，他可以有很多活動選擇：聽音樂、看書、看電影、看話劇、往健身室健身、揚帆出海、往外地旅行、甚至駕駛小型飛機翱翔天際。如今問題是，你覺得他（她）會快樂嗎？

這個例子帶出了一個最基本的道理：人是感情的動物，完全沒有感情生活的人，與一個機械人沒有兩樣。

心理學家的研究告訴我們，在影響一個人感到快樂或不快樂的各項要素之中，名列榜首的往往是這個人與另一個人的關係是否融洽美滿。這兒的「另一個人」，最多時候是這人的愛人或偶配，次之是子女或父母。研究復顯示，即使遇到重大的人生波折，只要這些關係美滿牢固，這些人大都可以渡過難關，重新振作起來。

在親情方面，我們和動物界的共通之處最多。「舐犢情深」這個詞就是從動物界借過來的。所謂「血濃於水」、「家和萬事興」，故有「打死不離親兄弟，上陣不離父子兵」的說法。中國人特別強調「孝道」，「父慈子孝、兄友弟恭」是我們追求的理想，而親情是我們遭遇劫難時最大的精神支柱。當然，中國人也明白盲目的「愚孝」所帶來的危險，所以亦有「忠、孝兩難存」甚至「大義滅親」之說。

由激情到細水長流

在愛情方面，兩人雙雙墮入愛河的那種感覺，是人世間最奇妙最甜蜜的。當然，轟轟烈烈的激情不可能經年累月地持續下去，隨之而來的，是相濡以沫、細水長流的深厚感情。所謂「天道哪比人道好，只羨鴛鴦不羨仙」、「百載修得同船渡，千歲修來共枕眠」，在人的處境當中，我們的一大追求，正是羅素所言的第二項動力：愛情，包括談戀愛時的愛情，也包括婚後「情比金堅」的愛情。除了擁抱獨身主義的人，「有情人終成眷屬」、「琴瑟和諧」、「同諧白首，永結同心」和「執子之手，與子偕老」都是人類的一大追求。

讓我們再做一個擬想實驗：古代的皇帝有所謂「後宮佳麗三千」（這自是誇張的說法），這當然是任何男性所夢寐以求的。但假如有一個國家立下規條，皇帝可以晚晚轉換枕邊人，卻不能與她們交談，也不能選立皇后或任何妃子。也就是說，他在性慾方面完全得到滿足，只是不能夠談情說愛。請試想想，這個皇帝會快樂嗎？

現實中便有這樣的例子：明神宗朱翊鈞儘管後宮佳麗眾多，卻因為一眾大臣的反對，無法將他深愛的妃子改立為皇后（以及兒子改立為太子），竟憤然拒絕上朝達30年之久，令國家的運作幾乎停頓。

情對我們如此的重要，故古語有云：「人生有三痛：少年喪父、中年喪偶、老年喪子。」其中最大的傷痛，是「白頭人送黑頭人」。

除了親情和愛情外，絕對不能忽略的是友情。所謂「在家靠父母，出外靠朋友」、「海內存知己，天涯若毗鄰」，友情對人生的重要性實在太大了。回到方才的擬想情況，那個大企業的行政總裁可以沒有親人，但不能沒有朋友，不是工作上的朋友，而是毫無利益瓜葛、只是因為氣味相投互相欣賞而結交的朋友。有了知心的朋友，我們這個主角的生活一下子充實起來了。古人對此當然深有體會，所以才說「女為悦己者容，士為知己者死」，因為「人生得一知己，死而無憾矣」。

薩特曾經說：「毋須炙熱的刑架，地獄就是他人。」他只是說對了一半，因為我的補充是：「無需牛奶和蜜糖的噴泉，天堂就是他人。」大家只需想想愛侶對你不好的時候，以及愛侶對你特別好的時候，便知我所言非虛。

回看唐君毅先生所言，人與人之間皆被「太空之黑暗所充塞，唯有星光相往來」而「星光者何？愛也、同情也、了解也。」正是人間有情，才令人生過得有意義。

4.6 無盡的欲念——名、利、權

在現實生活中，絕大部分人對上述的生存、繁衍、自由、尊嚴、親情、愛情、友情等都會視作理所當然、天經地義的東西，而不會列進他們的人生奮鬥目標。名、利、權三者則顯然屬於另一類別，而對三者的追求，構成了人類歷史的最大脈絡。

先說「名」，不論是成為一個超級演藝名人或體育巨星、一個寫出偉大文學作品的作家、還是發現全新自然定律的科學家……有誰不想萬人仰望，名垂千古？心理學家告訴我們，這種追求背後的動力，往往是想擺脱個人的孤獨感。從「寂寂無名」到「萬人擁戴」確是一種難以抵抗的誘惑。而隨著「名」而來的往往是「利」即「名利相收」。結果是，「追名逐利」成為了不少人的畢生寫照。

「利」的巨大誘惑是顯而易見的，一方面是在過去數千年的貨幣經濟裡，「利」是生存之本，因為社會現實已不再是「沒有食物會餓死」，而是「沒有錢會餓死」。另一方面，金錢雖然不等於實體財富（我們不能拿著金幣或鈔票來禦寒和充饑），但它作為「實體財富的佔有權」，卻可換來任何物資享受（錦衣美食、豪宅香車、家僕成群、環游世界等），結果是：「有錢能使鬼推磨」、「財可通神」、「窮在路邊無人問，富在深山有遠親」……電影《竊聽風雲3》中有句對白：「我們都知道為了錢，人可以壞到甚麼地步。」於是，「人為財死，鳥為食亡」成為了人類文明的一大寫照。

所謂「財迷心竅」，金錢能夠令人自覺高人一等甚至喪失本性。隨著金錢被人不斷掠奪與累積，社會上貧富懸殊的情況有增無減。在人類歷史上，「富者連田阡陌，貧者無以立錐」、「朱門酒肉臭，路有凍死骨」是一個長期存在的現象。這種情況雖然自古有之，卻是於今為烈。瑞士信貸集團（Credit Swisse）於2022年發表的報告顯示，全球最富有的1% 人口，佔有全球近47% 的財富；而處於底部的50% 人口，則只擁有2% 的財富。貧富極度不均的現象，成為了「人的處境」中的一大主題。

濫用權力是人類歷史主題

說到「權」，不同的人自有不同程度的權力慾。在法治不彰的群體社會，即使你沒有甚麼權力慾，完全無權無勢會隨時任人魚肉，所以是一種十分危險的狀況。

所謂權力慾，即喜愛控制和支配別人。權力慾特強的人，當然是「大丈夫不可一日無權」（這兒的「大丈夫」自不局限於男性）。不用說，群體社會必須有領導者和策劃者，所以權力原則上是必需的。但正如英國歷史學家艾頓爵士（Lord Acton）所說：「權力使人腐朽，絕對的權力使人絕對地腐朽。」權力的濫用和制衡是人類歷史上的一大主題。

歷史上，財富和權力往往緊密相連。但即使獨立地看，我們也可得出類似的結論，就是「財富使人腐朽，龐大的財富使人絕對地腐朽。」

巨富可以用來收買政府高官、讓違法的人逃避刑責、「包養」電影明星和選美冠軍、甚至滿足某些人的變童癖狎玩兒童（近年的愛潑斯坦 Jerry Epstein 醜聞應只是冰山一角）。說得誇張點，更可隨時「買兇」把我們不喜歡的人幹掉。之所以歷來有「為富不仁」的慨嘆。（電影《大開眼戒》（*Eyes Wide Shut*, 1999）和《華爾街狼人》（*The Wolf On Wall Street*, 2013）對此皆有尖刻的揭示，筆者推薦大家找來一看。）

佛家與道家教導我們摒棄這些追求，這當然是一種深刻的智慧。人的生命有限但慾望無限，借用武俠小說中的說法：做了香主想做堂主，做了堂主想做長老，做了長老想做護法，做了護法想做教主，做了教主想做武林盟主，做了武林盟主想做皇帝，做了皇帝想做神仙……這些欲念的無盡追求，正是人生苦惱的一大來源。

愈追求名利權　滿足感愈少

按照經濟學的術語，人類對「名、利、權」和物質享受的追求，都必會碰到「邊際報酬遞減效應」和「無窮後退效應」。前者是指我們即使千方百計獲得更多的名、更多的利和更多的權，但每一次的增加所帶的滿足感卻會愈來愈少。至於後者，是因為在社會地位競爭（status competition）的遊戲底下，「名、利、權」的價值其實是相對而非絕對的，例如我在演藝界已很有名但我的兒時好友最近比我更有名、我的豪華遊艇長30米但我的商界朋友（或敵人）的則長40米、我終於做了市長但我的舅仔最近升級當了省長等。我們就像《愛麗斯夢遊仙境》中所描述的「紅皇后賽跑」（Red Queen's Race），必須不斷向前跑才能留在原地。這些競賽帶來了無休止的壓力，令我們難以得到真正的快樂。

不斷的競爭令我們無可避免地爾虞為詐帶著面具做人。而所謂「爬得高、跌得重」，在「一將功成萬骨枯」的邏輯下，不少畢生追逐名利和戀棧權位的人，往往都落得眾叛親離甚至身敗名裂的慘澹收場。

上述似乎把「名、利、權」都看成負面的東西，但從另一個角度看，「名、利、權」三者乃（起碼在可見的將來）現實世界中必然存在的東西，是我們所擺脱不了的，問題是我們怎樣發揮它們積極的一面吧了。就此，筆者比較傾向儒家的觀點，就是「經世致用」，亦即在培養個人品德以外，還應該將我們的知識和才幹用諸社會，為大眾謀福祉。在這個過程中，一定程度的「名、利、權」是必需的。

以名利權為大眾謀福祉

也就是説，「名、利、權」不應為己而求，而應為幫助他人和貢獻社會而求，它們只是手段而不應成為人生追求的終極目標。不錯，這種高遠的理想好像脱離現實，但請試想想，近世文明的進程（人權、自由、法制、民主制度等），不正是努力嘗試將世人對「名、利、權」的追求引導至建設性的一面，而非破壞性的一面嗎？如果説英雄是將自己的卓越才幹為大眾謀幸福的人，梟雄則是以自己的卓越才幹不擇手段以謀一己之私的人，那麼我們的制度自當培養和擁護「精英」，並同時遏抑和限制「精梟」的得勢。誠然，我們現時距離理想仍然十分遙遠，但這正是「人類處境」中的一大課題。

可口可樂公司的前總裁布賴恩 • 戴森（Brian Dyson）曾經在一個

演說中作出一個生動的比喻：人生就像玩雜耍球，我們要不斷拋接以保持不墮的五個球是：事業、家庭、健康、友誼和榮譽。我們知道「事業」這個球是橡膠做的，因此即使不慎掉了，也有反彈的機會。相反，其餘四個球都是玻璃做的，一旦掉到地上，即使不徹底粉碎也會嚴重受損。但世人卻往往捨本逐末，將所有精神都放到「事業」這個球之上，從而危害了其餘的球。

近年在網上流傳甚廣的一個故事也十分發人深省。話說一個富有的遊客前往南美洲一個高山上的湖泊觀光。他看見一個漁夫在岸邊垂釣，於是上前問道：「你靠釣魚為生的嗎？」漁夫答：「對呀！」遊客：「你每天要釣多久才夠養活家人呢？」漁夫：「大概三、四小時吧。」遊客：「那麼你其餘時期做甚麼呢？」漁夫想了一會答：「與家人共聚啦，跟我們養的狗嬉戲啦，間中也會遊山玩水，或與朋友飲酒胡扯一番呢。」

遊客於是說：「你不覺得你這樣很浪費嗎？我是一個資深的會計師，讓我來教教你吧。假如你每天釣魚的時間加長一倍，你釣到的魚將會多很多，而你將多餘的魚賣掉，不是可以賺到不少錢嗎？」漁夫：「我要這些錢來做甚麼呢？」遊行：「嘻！有了錢你便可以買一條船，那便可以駛到湖中心，捕捉更多的魚，從而賺更多的錢！」漁夫：「我要更多的錢又有甚麼用呢？」遊行：「你可以買更多的船，捉更多的魚，並且開設工廠將魚製成罐頭，然後把罐頭行銷世界。」漁夫：「我為甚麼要這樣做呢？」遊客：「因為如果公司的業務蒸蒸日上，你便可將它上市。」漁夫：「上市後又怎樣？」遊客：「如果公司業務出色，便可以吸引財團收購。」漁夫：「收購了又怎麼樣？」遊客：「嘻！之後你便可以收到一大筆錢，然後不用再工作而只做你喜歡的事情，例如多些時間和家人共聚，與你的狗嬉戲，遊山玩水，或與你好友把酒聊天！」漁夫：「這些我都不正在做了嗎？」

所謂「知足者，貧亦樂；不知足者，富亦憂」，就讓我們以這個故事為「名、利、權」的分析作結。

4.7 真本性——人格與自我

如果「名、利、權」不應成為人生的終極目標，那應人生應該追求甚麼目標呢？不少哲人智者早已對此提出了答案，那便是建立獨立的人格、發揮個人的興趣與潛能，以及實踐個人的抱負和理想。

還記得唐君毅先生所說：「你之唯一無二，使你的存在有至高無上的價值」嗎？如果我們畢生渾渾噩噩、隨波逐流，這種「無上的價值」便會被糟蹋掉。顯然，「人的追求」必須包括培養個人的精神世界和獨立的人格，進而觀照宇宙、觀照自己。而獨立的人格必先建基於獨立的思考，只有這樣才不會人云亦云，以假當真。

不錯，所謂「三人行必有我師」、「見賢思齊焉，見不賢而內自省」，我們固然要虛懷若谷盡量接受別人的批評，做到「有過則改，無則勉之」，但同一時間，我們也應該明白「豈能盡如人意，但求無愧於心」的道理，在深思熟慮之後，拿出自己的意見和主張，並且擇善而固執，按照自己的原則與主張貫徹下去，做到「橫眉冷對千夫指，俯首甘為孺子牛」的境地。還有重要的一點，就是凡事應該向前看，決定了的事情可以改，但不要後悔。

重拾真誠以對抗麻木虛偽

哲學家蘇格拉底（Socrates）說：「未經審視的人生是不值得活的。」（An unexamined life is not worth living.），一些人可能覺得這樣說陳義過高，因為不是人人都是哲學家。的確，陸九淵便曾經說：「雖不識一字，亦可堂堂正正地做個人。」但其實上述兩位哲人都正確，我們不要求每個人都滿腹經綸、思想深邃，卻認為每個人都必須真誠地對待自己，也真誠地對待別人。存在主義者追求人的「本真性」(authenticity)，很大程度上就是要我們重拾內心的真誠，以對抗因為追逐名利而產生的麻木與虛偽。

愛因斯坦曾經說：「不要努力做一個成功的人，要努力做一個有價值的人。」（Don't try to be a man of success. Try to be a man of value.）的確，無論一個人如何成功、如何知名、如何富有、如何才華橫溢，他怎樣對待身邊的人，以及身邊的人對他有多尊重、愛戴和珍惜，才能彰顯出他的真正品格和價值，以及為他帶來心靈上的富足。電影《大國民》（*Citizen Kane*, 1941）之深受推崇，正因為它帶出了這個道理。

儒家的人生觀正以「誠」作為出發點。所謂「誠意、正心、修身、齊家、治國、平天下」，最首要的是「誠」。「有誠」的人生才是值得活的人生。

但「有誠」只是必要條件而不是充份條件。孔子提出「智、仁、勇」三達德，而王陽明則提出「知行合一」，並謂「知是行之始，行是知之成」，也就是說，如果我們沒有勇氣將我們誠心相信的意念和價值落實到行動之中，一切都只是空談。馬克思（Karl Marx）學說中所強調的「實踐」（praxis），顯然也需要無比的勇氣。

獨立人格外還要獨特喜好

在追求美滿人生的道路上，建立獨立人格只是第一步。除了心靈和稟賦上的「唯一無二」之外，我們還有獨特的喜好和興趣，例如有人熱愛文學、有人熱愛科學；有人鍾情考古、有人鍾情天文；有人喜愛攀山、有人喜愛園藝……這些獨特性（particularities）正是人的所以珍貴之處。試想想，如果全世界的人都喜愛同一種顏色、同一種花、同一種飲品、同一種運動……這將是一個多麼沉悶乏味的世界。不用說，這種不同個體在興趣和特長方面的多樣性（diversity），在必須不斷適應環境變動的生物演化歷程上，是一種非常有利的特質。

心理學家多年的研究顯示（包括利用功能性磁共振的大腦掃描），一個人專注地從事他熱愛而又擅長的事情其間，無論這些事情是烹飪、縫紉、釀酒、冶鐵、建築、園藝、插花、陶藝、雕塑、寫作、繪畫、作曲、彈琴、舞蹈、美術設計、導演一部話劇、進行一個科學實驗、編寫一個電腦程式、籌備一個大型國際會議等等，他都會處於一種高度快慰的精神狀態。這種快慰是其他事物所無法取代的。

可以這麼說，除了人際關係的美滿外，最能使人獲得快樂的，就是可以發揮個人的興趣與潛能，從而助己助人。雖然我們常常說「安居樂業」，卻往往只注重「樂業」帶來的生計，而忽略了「志業」背後的更深層含義。多年來，筆者為一些父母親進行親子教育講座時，皆強調為人父母者，最應重視的，按優先次序是子女的安全、健康、品格、興趣、學業和才華，可惜現實中大部分父母往往將最後兩項凌駕於前四項，結果學業出眾但品格低下、或是鋼琴考達八級（甚至演奏級）但終生不再碰鋼琴的人彼彼皆是。

筆者十分注重個人的興趣。一個擁有眾多興趣的人永遠不會感到沉悶。相反，一個完全沒有個人興趣的人，跟飛禽走獸有甚麼分別呢？

自我體現講求潛能與抱負

在另一個層面，馬克思說：「勞動創造人類。」但很多人忽略的是，馬氏此處強調的是「創造性勞動」。美籍猶太裔哲學家漢娜•鄂蘭（Hannah Arendt）在她的著作《人的境況》（*The Human Condition*, 1958）之中，將人的行為分為「勞動」(labor)、「工作」(work)、「行動」(action) 三個層次，其中「勞動」是為了維持生命、「工作」是為了建設世界、而「行動」是為了帶來改變，令世界變得更美好。

這便把我們帶到志向和抱負的層面。在一方面，我的個人興趣可能就是我的志向（例如我熱愛舞蹈想做一個出色的舞蹈家），但相反而言，我的志向卻不一定等同我的興趣。例如我熱愛舞蹈，但同時亦想幫助不育的夫婦生兒育女、或幫助殘疾人士重過新生、又或令孤獨長者的晚年過得更多姿多彩、甚至想消弭世上的貧窮、想推動全民素食而停止殺生、或推動可再生能源以對抗氣候災劫等。上述這些已經超越興趣而上升至抱負的層面。

毋庸置疑，最有意義的人生便是有抱負有理想的人生。人文學者所強調的人的「自我體現」(self-actualization)，說的正是如何透過鄂蘭所說的「行動」，致力發揮個人的興趣與潛能，以及實踐個人的抱負和理想。以儒家的說法，便是致力「立功、立言、立德」。宋代學者張載(1020-1077)的更高遠理想是：「為天地立心，為生命立命，為往世繼絕學，為萬世開太平。」

當然，我們的理想不一定能夠達到，甚至應該說，大部分時候都可能無法達到。於此，筆者很喜歡這個說法：人會長大三次：第一次是發現自己不是世界的中心的時候；第二次是發現即使再努力，還是有些事情無法改變的時候；第三次是當你明知有些事情無法改變，但你還是堅持盡力去做的時候，也就是孔子說的「知其不可為而為之」。

有「哲人帝王」之稱的羅馬帝國君主馬可•奧勒留(Marcus Aurelius)在他的著作《沉思錄》中說：「我們最需要害怕的不是死亡，而是到臨死的一刻，才發現自己沒有真正活過。」曾經為理想而奮鬥的人，自可坦然地面對死亡。

從宏觀的角度看，上述的討論又何止適用於個人？「自我體現」也應該適用於整個社會，甚至全人類。於此我們在本書的續篇《人類的前途》中再作探討。

4.8 終極追求——智慧與幸福

大家可能聽過：「資料不等於信息、信息不等於知識、知識不等於智慧」。的確，徒有知識而沒有深刻的反思和領悟，無法達於智慧之境。之所以佛家認為我們必須要「轉識成智」。

孟子曾經說：「終身由之而不知其道者眾也。」就是說大部分人對事物都只是知其然而不知其所以然。留意這兒的「知」固然包含了我們一般理解的知識，但更重要的，是透過反思而獲得的領悟。用佛家的術語，「不知其道」是為「無明」。讓我舉一些日常的例子，例如我覺得展現在自己身上的是「自信」，在你身上的則是「自大」；在我而言是「勇敢」，在你而言則是「魯莽」；我是「擇善固執」，你則是「冥頑不靈」……還有我們當行人時會咒罵司機，當司機時則會咒罵行人；或做工人時咒罵老闆，做老闆時則咒罵工人；又或少年時期批評中年人，步入中年之後則嚴厲批評少年人……此外，我們看見一個美國人嚴厲批評美國政府，我們會覺得他十分愛國；但當一個中國人嚴厲批評中國政府，我們卻覺得他十分不愛國，這些以情害意自相矛盾的例子，都是「無明」的表現。

「無明」到「明」 智慧之始

誠然，我們不可能徹底克服「站在甚麼立場説甚麼話」（俗語是「屁股指揮腦袋」）的傾向，但總可以有程度上的分別。香港漫話家嚴以敬（阿虫）説得好：「一個人最重要是明理。一個人如果明理，讀書多少沒甚麼所謂。一個人如果不明理，書讀得再多也是枉然。」

從「無明」到「明」是智慧之始。而所謂智慧，就是站到更高的層次，看到各種矛盾的對立與統一。唐君毅説：「如佛家之言，知煩惱即菩提；知無明即明、則遍觀邪生，即知正生；遍觀枉生，即見直生；深緣地獄，即見天堂。」我們未必能做到他描述的境界，但應該努力向著這個境界進發。

還有的是，人生中有些東西是我們必須接受的（例如不能活到500歲），也有一些東西是我們必須爭取的（例如與彼此相愛的人活在一起）。至於如何判斷甚麼東西必須接受、甚麼東西必須爭取，這便叫做智慧了。

人生中一項最難接受的事實，是壞人得逞、好人受苦。前者是一個社會制度的問題，但後者卻往往超越人力的範圍，因為天災和疾病不會挑選好人還是壞人。而當好人受苦甚至英年早逝（英文的 When bad things happen to good people.），我們只能「無語問蒼天」。智慧的一種最高表現，是當受苦的是自己（例如正值英年而患上絕症，又或是摯親因意外離世），我們不會滿腔憤恨的追問「為甚麼是我？」因為我們知道，如果事情發生在另一個人身上，他也會問同一個問題。

雖然我說知識不等於智慧，但各位閱讀至此，當知我是一個十分重視知識的人。可以這樣看：智慧基於正確的抉擇、正確的抉擇基於正確的判斷、正確的判斷基於正確的認識、而正確的認識基於開放的心智和理性的探求。科學理性（scientific rationality）當然不是獲得智慧的充份條件，卻是我們追尋智慧時的必要條件。

於有限和無常中離苦得樂

毋須多說，絕大部人都會同意智慧與幸福是人生追求的終極目標。綜合上述的種種討論，我們大概已對「智慧與幸福」的追求有所領悟。簡單來說，智慧也者，就是面對個人的「有限」和世間的「無常」，而仍然能夠得到快樂（離苦得樂）；而幸福，就是完滿的快樂感覺。

令年輕的佛陀震撼不已的「生、老、病、死」就是人生的「有限」與「無常」，但佛陀的智慧是，這些事情固然是「苦」的泉源，但它們既然無法改變，我們便不應該由它們主宰我們的苦與樂。再探究下去，苦的來源其實是我們內在的「貪、嗔、癡」，也就是各種「我執」與「妄心」，所以要脫離苦海達於彼岸，便必須「破妄」和放下執著，從「心隨境轉」做到「境隨心轉」。

道家的思想雖無佛家的精深，但同樣富於啟發性。老子曰：「人法地、地法天、天法道、道性自然」，教人們率真豁達、凡事順其自然。莊子更進一步，提出了「逍遙」的思想。禪宗揉合了佛、道的精髓，再提出「我自悠然」和「萬物靜觀皆自得」的境界。所謂「活得自然，便得自在」。

宋朝禪僧無門慧開（1183-1260）這樣寫道：

春有百花秋有月，
夏有涼風冬有雪。
若無閑事掛心頭，
便是人間好時節。

甚麼是幸福？說到底不過是「白天心境平和，有說有笑；晚上睡個好覺，醉夢心窩」吧了。

高遠理想與隨遇而安的協調

筆者說過我較傾向儒家的思想，但偉大的思想去到最高的層次往往都是共通的。孔子提出的「從心所欲，不逾矩」便跟道家的「我自悠然」很相似。范仲淹謂讀書人的最高境界是「寵辱皆忘……不以物喜，不以己悲」，這便是一種超越悲觀和樂觀的「達觀」境界。當然，他復提出「先天下之憂而憂，後天下之樂而樂」的自我要求。能夠把這些高遠的理想與豁達、隨遇而安、我自悠然甚至「難得糊塗」、「遊戲人間」等協調起來，則離智慧不遠矣。

看過了「智慧」讓我們來看看「幸福」。為人父母的，如果只能夠向子女說一句祝福的話，我想必然是「祝願你有幸福美滿的一生」。由是看來，幸福之作為一個終極目標已毋須贅言。從這個角度看，智慧本身也只是手段，幸福本身才是目的。

人類對幸福的追求會有圓滿成功的一天嗎？筆者之後會嘗試回答這個大哉問。我想在這兒指出的是，即使在一個物質超級豐裕和完全沒有壓迫與剝削的烏托邦，幸福也不是必然的。例如我想做一個科學家又想做消防員，或想做鋼琴家又想做籃球員，或想當記者又想當律師等，都是「魚與熊掌」的矛盾。在感情方面，令人痛苦的三角戀愛當然還會存在，例如一個女孩既喜歡甲的才華、風趣、浪漫、不羈，卻也喜歡乙的成熟、穩重、睿智和善解人意，但兩個之間她只能選一個作終生伴侶，最後還不是有遺憾嗎？

再者，假如你可以選擇做一個庸庸碌碌但能夠享受天倫並活到九十歲的人，或是做一番轟轟烈烈的事並名留千古，卻只能活到三十歲的人，你又會如何選擇呢？

當然，上述的分析不是說我們無需爭取公義和不斷改進社會制度（即朝著烏托邦的方向進發），而是想指出，就算在一個人人公認的理想國度，真正的快樂還是需要我們擁有智慧：看透生死的智慧、作出抉擇的智慧、抉擇後不會懊悔苦惱的智慧、以及能夠輕輕放下執著悠然自得的智慧。

價值與意義的追尋

5

5.1 追求全能——意義何在？

迪士尼公司在1992年推出的電影《阿拉丁》，是一部極富娛樂而又老幼咸宜的卡通片。其中一個容易被人忽略卻包含著極其深刻啟示的情節是，當阿拉丁無意間釋放了神燈裡的精靈之後，精靈向他解釋：作為精靈的他雖然法力強大，卻是有三樣東西做不到，那便是：(1) 不能殺人、(2) 不能令人起死回生、以及 (3) 不能令某人愛上一個她（或他）原本不愛的人。

從戲劇的層面看，這三個限制自有其必要，因為如果精靈可以任意殺人、可以令人起死回生，以及令一個人愛上任何人，如此所向無敵隨心所欲，那麼接著還有甚麼劇情好寫呢？

但只要我們想深一層，這些限制不也是人類世界中最根本的限制嗎？頭一個限制關乎道德也關乎社會穩定的問題。試想想，如果我們不喜歡一個人便把他隨意殺掉，一個穩定的社會還有可能存在嗎？

至於第二和第三個限制，則道出了人生中最大的無奈。我們之前的章節看過，即使在一個烏托邦，生死大限與感情上的遺憾仍會是我們無法掌控的事情。

我們一般會把限制看成一種負面的東西，正如馬克思所言：人類文明躍升，便是一個由「必然王國」過渡至「自由王國」的過程。但從另一個角度看，完全沒有限制的自由，即等同現實世界的消亡。

法力無邊　現實消亡？

為甚麼這樣說呢？讓我們換一個角度看。假如好像《哈利波特》小説裡的魔幻世界出現了兩個真正法力無邊的巫師。如今兩個巫師激鬥，你道哪一個會勝出？這顯然是一個沒有答案的問題，因為如果兩個都真正「法力無邊」，則任何一方都不可能被對方打敗，所以直至時間終結宇宙毀滅也不可能分出勝負。

德國思想家歌德（Johann Wolfgang von Goethe）曾經説：「如果明天上帝告訴我們所有的宇宙奧秘，那將是十分尷尬的事情，因為我們甚麼都知道了，便沒有甚麼事情好做，會悶得不知怎樣打發日子。」同樣地，如果上帝明天便將祂的「全能」賦予所有人，我們到時便甚麼事情也可以做，不單呼風喚雨，更可以變成的任何一個人或任何一種動物、可以於一瞬間去到宇宙邊緣後再回來、可以令時光倒流回到過去並改寫歷史、也可以令任何人都喜歡自己……不錯，我們那時是真正的「隨心所欲」，卻也做甚麼都好像變得沒有意義。

「全能」即「法力無邊」等於可以隨意將現實（包括任何物理定律）改變。既然可以隨意改變，那麼所謂「現實」還有甚麼意義呢？這不是等同現實的消亡嗎？（當然我們不肯定「全能」是否表示能夠超越邏輯上的限制，例如我們能否「創造一塊自己也搬不動的石頭」。）

解讀上述的思想實驗之後，讓我們回到充滿限制的現實世界，繼續我們有關「人追求甚麼？」的探討。

5.2 求真——探索宇宙的真象

人有天生的好奇心和求知欲。孔子說：「知之者不如好知者，好知者不如樂知者」，的確，知識是人生一大快樂的泉源，而從「無知」到「有知」期間所經歷的喜悅，是沒有任何事物可以取代的。孔子復說：「學而時習之，不亦悅乎」，正如上文曾經指出，人類進步的一個標誌是：過往我們為生存而學習，後來則是為了學習而生存。

天文學家沈君山說：「人之有異於禽獸者，不在於他對錦衣美食的追求，而在於他敢於在思想上作種種冒險的探索和追尋，以求更深入了解宇宙和生命的奧秘。」同是天文學家的薩根進一步宣稱：「宇宙之饒有意義，取決於我們的提問有多大膽，以及所提出的答案有多深刻。」（We make the universe significant by the courage of our questions and the depth of our answers.）

不只科學家，我們每個人都天生熱衷於求真，因為沒有人喜歡被騙或欺瞞，也不希望因為誤信了一些不實的知識而徒勞無功甚至喪命，所以「求真」是人的本性。

然而，為了利益，人們亦習慣於弄虛作假。如統治者希望被統治的人知得愈少愈好。在「人的處境」之中，強權與真理、記憶與遺忘都是永恆的主題。

《新約聖經》說：「你將知道真相，而真相會讓你獲得自由。」（You

shall know the truth, and the truth shall set you free.）但正如不少人害怕自由一樣，很多人亦不願面對事實的真相，例如他們不想知道自己性格上的缺陷、或自己的成就有多少源自幸運、或人類乃由動物演化而來、或「人死如燈滅」、或不大幅改革我們的經濟制度便無法解救全球暖化危機等等。

建立科學方法的基石

人類在求真道路上的一個重大里程碑，是「科學方法」（scientific method）的建立。在此之前，人類基於探究求真的精神，也作出了一些重大的科學發現（如指南針、浮力原理、地球大小的量度等），但這些都是零星的、緩慢的。中世紀的伊斯蘭科學將這些探索推前了一大步，但真正的突破，來自伽里略（Galileo Galilei, 1564-1642）所建立的科學方法兩大基石：「實驗法」（experimentation）和「數學化」（mathematizisation）。

實驗法是將自然界一些現象（如物體的運動），放在一個較為受控的環境裡重現，並且續步改變一些變量（例如作用於物體的外力大小），然後量度某個變量（如物體運動的速度）如何隨著這個變量（作用力）而變化。至於數學化，就是盡量將事物的特徵化為數字（量化），並且把事物間互為影響的關係以數學的方程表達出來（物理定律）。不要小看這兩項發展，它們帶來的，無疑是人類認識世界的一場革命。

與伽里略同期的一名學者培根（Francis Bacon）於1620年發表了《新方法論》（*Novum Organum*）一書，正式提出了「科學方法」這個概念。經歷後人的實踐，這個方法可以歸結為「觀察、概括、提問、提出假設、根據假設作出推論、進行實驗、檢視實驗結果」，而假如實驗結果與推論（預測）的並不符合，則我們要回到起點，即要修正假設、再推論、再實驗、再檢視……如此反複不斷，直至達到足以解釋現象的結論。當然，這些結論會成為新的探究的起始點，如此層層深入，令事物間的複雜關係被一一揭示。

科學可自我批判及糾正

以上的過程包含了「歸納推理」(inductive reasoning) 和「演繹推理」(deductive reasoning) 兩方面，其核心是對證據 (evidence) 與邏輯 (logic) 的絕對尊重。其他的重要特質還包括「嚴謹」(rigour)、「透明」(transparency)、「公開交流」(open communications)、「可驗證」(verifiability)、「可重複」(repeatability)、「互為批判」(mutual criticism) 等等。(「邏輯」方面最重要的概念是「無矛盾性」；而「可驗證」的一個重要元素是「原則上有機會被證明為假」，即具有「可偽證性」(falsifiability)。)

由於上述的特質，雖然科學中的作弊和詐騙偶有出現，但長遠來說科學具有巨大的自我批判和自我糾正的能力。

活在今天的我們，很難想像這種方法論創新的革命性質。但從那時起，所有訴諸鬼神、訴諸傳統、訴諸權威、訴諸直覺、訴諸無知、訴諸群眾等的方法，都不被接納為可靠知識的來源。

自十七世紀開始的這個「科學革命」(scientific revolution)，是人類歷史的一個分水嶺。科學知識的不斷修正和累積，大大深化和廣化了人類對宇宙和自身的認識。一些人以為科學進步的貢獻只是改善物質生活，但我們往後會看到，它的影響實在廣泛和深遠得多。

必須指出的是，具體而言，世上沒一個標準的、萬用的「科學方法」，而是有無數不同的科學方法，例如物理學家和生物學家、或是考古學家和天文學家之間所用的研究方法便大為不同。事實上，科學家是世上最大的機會主義者，所謂「不管黑貓白貓，捉到老鼠便是好貓」，只要沒有跟邏輯和證據牴觸，甚麼方法也行。

科學是尋找可解問題的藝術

科學的另一特色是「從小入手」。一位科學家曾經說：「世間上沒有卑微的東西，一切都能給聰明的人以教益。」科學家固然也和常人一樣，很想知道一些「大哉問」的答案，但他也明白以我們當前的知識水平，不少答案在短期內（包括他的有生之年）是難以尋獲的，所以他願意先處理一些有機會被解答的問題。科學家彼得•麥迪華（Peter Medawar）便精闢地指出：「科學是尋找可解問題的藝術。」（Science is the art of the soluble.）

進一步說，科學是一種「提問的藝術」。天文學家愛丁頓（Arthur Eddington）指出：「在科學探求中，提出問題往往比尋找答案更重要。」的確，如果我們連問也不懂得問，又怎會懂得去尋找答案呢？事實上，不少作出偉大發現的科學家，並非看到了前人從未見過的東西，而是就眾人皆見的東西，提出前人從未想過的問題。英國哲學家懷海特（Alfred North Whitehead）這樣說：「對平凡事物的探究，需要一個絕不平凡的頭腦。」

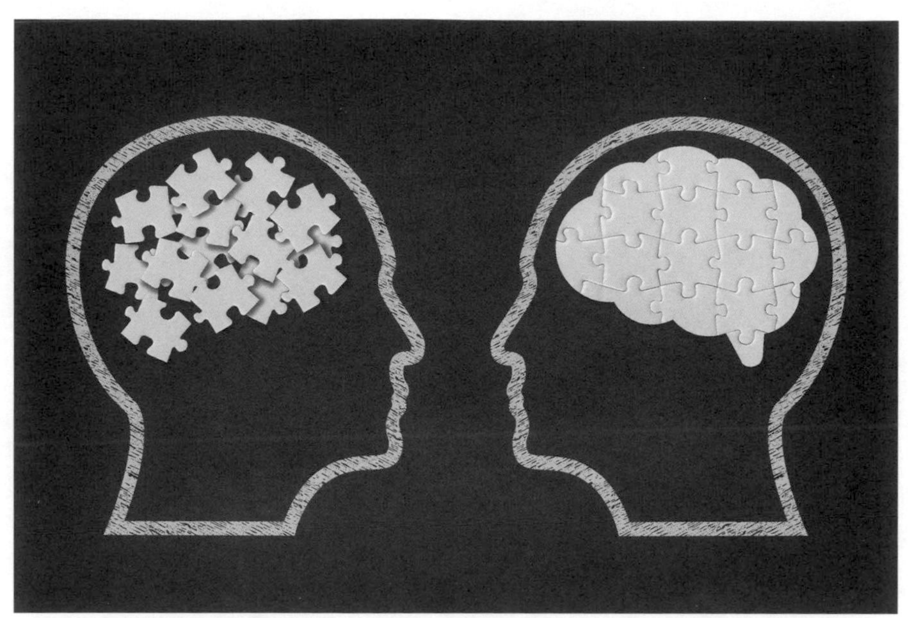

一直以來，部分人文學者極力抗拒將最初用於研究死物的科學方法應用到人類世界之上，他們認為，將人類「約化」為原子、分子和神經系統、分泌系統等的相互作用的這種研究途徑（reductionist approach），是將人類最珍貴的特質丟失了。正因如此，人文學者柏林（Isaiah Berlin）才提出「人的正確研究是人本身」這個呼籲（見序言）。

但在筆者看來，有關方法論（methodology）上的「約化論」（reductionism）和「整體論」（holism）之間的對立，是個虛假的對立。的確，少部分人（如上世紀的極端「邏輯實證論者」（logical positivists））確實有將科學絕對化的傾向，從而將其他形式的探求統統否定。但絕大部分的科學家都不認同這種「唯科學主義」(scientism)的觀點。而經過了多年的努力，心理學家和社會學家皆已發展出不少適合用於研究人類心理和行為的研究方法。此外，「整體論」的最大進展 — 過去半個世紀冒起的「混沌理論」和「複雜系統理論」—皆是由科學家的「約化式」深入研究所開拓的。

科學是人文精神的盟友

作為對柏林的回應，筆者想鄭重指出，科學不但是人類物質文明的偉大成就，更重要的，它是人類精神文明的一項偉大成就。可不是嗎？我們都認同每個人必須「透過了解而成長」，但是對於人類整個族類而言，情況不也一樣？科學大大加深了人類對世界——包括他自身的歷史和本性——的了解，使他獲得更深邃的領悟，從而變得更成熟、更睿智。如果人文精神追求的是「人的本質和價值為何？」，則除非追問的人文學者甘願畫地為牢，否則科學絕不是人文精神的敵人，反而是人文精神的最佳盟友。

科學進步固然在「真」的追求方面取得很大的成果，但我們亦必須心懷謙卑。奧地利哲學家維根斯坦（Ludwig Wittgenstein）便精辟地指出：「一切堅實知識的基礎，都包含著不堅實的知識。」

在邏輯方面，我們有「自我指稱悖論」（如「我在說謊！」這句話是真是假？）、「無窮遞歸悖論」（如「定義的定義為何？」，「意義的意義何在？」）、「集合悖論」（如羅素的「理髮師悖論」）以及哥德爾的「不完備定理」等。

在基礎物理方面，我們有「時空奇點」（spacetime singularity）、「量子現實」（quantum reality）、「人擇原理」（anthropic principle）、「多元宇宙」（multiverse）等困惑。而在生物和心靈的世界，我們更有「自由意志」（free will）這個深不可測的難題。一個尖銳的提問是：大腦能夠徹底了解自己嗎？

上述的困惑，逾半已經超出科學的層面，而進入哲學的領域。傳統上，哲學被分為「本體論」(ontology)、「認識論」(epistemology) 和「方法論」（methodology）三大部分。本體論研究的是宇宙的本質，認識論研究的是知識的本質，而方法論則研究獲取知識的正確途徑。

不用說，這些人為的劃分就如科學中的物理和化學一樣，主要為了研究上的方便。事實上，三者之間往往互相重疊而非涇渭分明。例如以下這段有關「無窮遞歸」（infinite regress）的悖論，便涵蓋了本體論、認識論和方法論三大領域：

「我們永遠無法徹底了解宇宙的本質。這是因為有關宇宙本質的觀念，也是宇宙的一部分。要充滿了解宇宙，必須包括對這個觀念的了解。但這個了解，也自然是宇宙的一部分，因此要了解宇宙，還必須包含對這個了解的了解。但這個了解一旦形成，也將成為宇宙的一部分……如此類推，永無終結。」

太玄妙深奧了嗎？那麼讓我們看看這個簡單的命題：「世上沒有絕對的真理。」表面看這好像很有智慧，但聰明的讀者自會立刻追問：那麼這句話本身呢？一下子，充滿智慧的命題變成了難解的困惑。

互為矛盾的自我指稱悖論

最典型的「自我指稱悖論」(self-referential paradox) 是「我在說謊」，但即使不是自我指稱，我們又如何看待以下這兩句話：「A命題：『命題B是真的。』」、「B命題：『命題A是假的。』」？現在讓我們看看這兩句話的邏輯引申：如果A為真則B為真，如果B為真則A為假——矛盾！相反，如果A為假則B為假，如果B為假則A為真——也是矛盾！

二十世紀初，哲學家羅素則提出了這個「理髮師悖論」:「一條村裡住了一名理髮師。他定了一條規例，就是只替住在村裡而又不替自己刮鬍子的人刮鬍子。如今的問題是，他應不應該替自己刮鬍子？」難題當然是，無論他刮還是不刮，都會違反了自己所定的規例。

這個悖論對當時正在興起的集合論（Set Theory）數學帶來很大的衝擊。但人們很快便發現，這只不過是冰山的頂部。不久，數學家戈德爾（Kurt Godel, 1906-1978）提出了更加令人震驚的「不完備定理」(Incompleteness Theorem)。戈氏透過極其深刻和嚴謹的數理邏輯論證，指出任何不包含自我矛盾的「形式體系」（formal systems）如算術、幾何、集合論甚至形式邏輯等，都必定是「不完備」的，也就是說，它們之內必定包含著一些既無法被證明為真，也無法被證明為假的命題。我們固然可以建構一個更高層次的形式系統來嘗試消除這種情況，但這個系統也必會帶來自身無法解決的問題。

無怪乎一些學者認為，在窮究宇宙真理的道路上，戈德爾的發現比愛因斯坦的相對論帶來了更大的震撼。

即使我們忽略邏輯悖論帶來的窘境，我們仍會被知識是有限的還是無限的這個兩難之局困擾。在印度教的神話中，世界乃被七隻大象所承托，而大象則站在一隻巨大的海龜之上。人們自然會問：那麼海龜之下又是甚麼呢？一個答案是：另一隻更大的海龜。但這隻更大的海龜之下又是甚麼？講求實際的而又不耐煩的人這時多會答：「往下一直都是海龜囉！蠢蛋！」（It's turtles all the way down! Stupid!）

這不是一個純學術的問題，因為如果我們將來（可能是明天、數百年後或數千年後）真的遇到別的智慧族類，「知識有限」則彼此的科技水平有可能相差不遠（假設大家都接近飽和）；但「知識無限」的話，則彼此的科技水平可能有天淵之別。而假如我們是落後的一方，則對方只要有意無意地動一個小指頭，便有可能把我們全數殲滅。

「世間上有最大的質數（素數）嗎？」、「為甚麼圓周率的小數點會沒有盡頭？」、「世界一定是三度空間的嗎？」、「空間和時間是否無限可分？」、「世上可以有無因之果嗎？」、「第一因是否無可避免？」、「時間是否可以倒流？」、「自由意志如何可能？」…… 對，面對造化的奧妙，我們必須心懷謙卑。莎士比亞在《哈姆雷特》之中透過主人翁說：「天地之大，有很多事情是你們的哲學想也未想過的呢！」（Horatio! There are more things in heaven and earth than are dreamt of in your philosophy!）

愛因斯坦有很多精彩的名言，筆者最喜愛的一句是：「人可能擁有的最深最美的感情是神秘感，它是一切宗教情操以及深刻藝術和科學探求的泉源。一個不懂得這種感情、不再懂得驚訝和讚嘆的人，雖生猶死。」

5.3 求善——免人於苦難的精神

現在讓我們看看「善」這個至為重要的議題。對不少人來說，人之所以為人，不單因為他是一個自覺的主體（因為愈來愈多人已開始接受黑猩猩和大猩猩 — 甚至閣下家中的愛貓或愛犬 — 也是自覺的主體），而因為他是具有「是非之心」的「道德主體」(moral agent)。荀子曰：「人有氣、有生、有知、且亦有義，故最為天下貴」，正是這個意思。

孟子更進一步說：「無惻隱之心，非人也；無羞惡之心，非人也；無辭讓之心，非人也；無是非之心，非人也。」能夠分辨「是非善惡」，是人之所以為人的首要條件。

對於「最為天下貴」的人，哲學家康德（Immanuel Kant）提出了一個最高的道德誡律（categorical imperative）：人永遠只能是目的，而不應被當作為達到某一目的的手段。

對於「義」的追求，孟子則這樣說：「君子之於天下，無適也，無莫也，義之與比」以及「須千萬人，吾往矣」。也就是，我們只應做我們認為正確的事情，而且要一往無前。

這便帶到「人的處境」中最核心的一點：生存是人的天職，但如果生存跟義有所牴觸呢？孟子的答案可說震爍千古：「生，我所欲也，義，亦我所欲也，二者不可兼得，捨身而取義者也。」

科幻式的推論是，如果能夠以人類的滅絕，換來銀河系中千萬個高等智慧族類的生存，我們應該「捨身以取義」嗎？筆者會把這個假設性的問題留給各位讀者思考。現在讓我們探討一下「人的價值」這個與「善」直接相關的問題。

人是萬物的量度

在東方，人是「價值的本體」是個常識。但在西方的中世紀時期，在神權統治（theocracy）的影響下，人們確曾相信，人之所以有價值，是因為人在神的眼裡有價值。而文藝復興的一項偉大成就，就是透過

「人文主義」（humanism）重新確立人的固有價值。雖然當時的人不可能完全擺脱宗教的桎梏，但「人是萬物的量度」（Man is the measure of all things）這句口號，已經吹響了「人本精神」的號角。

人的價值如何計算？雖然保險業的精算師早已慣為每一個人計算他的「市場價值」（一般以某人餘生的賺錢能力計），但從學術界到日常倫理，答案是：無從計算，亦不應計算。簡言之，人命是無價的。因為我們一旦為人命標價，我們便可能為不同的人「定價」，從而將人分等分級，並於危難關頭和資源緊絀時，把一些人列為「可被犧牲的」。這當然是一種十分可怕的境況。

哲學家約翰 • 勞斯（John Rawls）在他的著作《正義論》（*A Theory of Justice*, 1971）裡指出，當人類在設想中的原始狀態時，大家同意訂立的倫理規則必然包含著一定程度的「公平原則」，亦即不會將某些人處於一種極其不利的位置，因為在相對無知的原始狀態（他以披著「無知的面紗」作比喻），我們無法準確預知自己將來是否會淪為這些人的一分子。就拿以上的討論為例，我們當然不想一覺醒來，發現自己成為了「可被犧牲」的那些人。

人命無價而且每個人都是獨一無二的，所以在日常倫理中，我們絕不接受「一命換一命」。但在執行上，我們確實會受到演化邏輯的潛在影響而作出選擇。假設一個80歲的老人和一個18歲的青年即將沒頂（或糧食耗盡）而我們只能救一個，我相信絕大部分人（假設兩個人我們都不認識）都會選擇拯救後者，亦即以老者的命來換取年輕人的命。

如果我將上述兩者換成你的愛犬和一個陌生人呢？對，這是一個十分殘酷的例子，但「人命關天」，我相信你仍然會選擇後者。而這，正是「人的價值乃至高無尚」的體現。

以往，「殺人填命，欠債還錢」被認為是天經地義，但過去大半個世紀以來，既因為上述「至高無尚」（人道主義）的考慮，更因為死刑的不可逆轉性質（即冤案即使得到平反，但人死了也於事無補），所以不少國家都先後廢除死刑。但另一方面，亦由於現代人道主義高度重視人的尊嚴和自主權，所以亦有一些國家開始為「安樂死」（euthanasia）立法，讓患了絕症並長期受著折磨的病人選擇結束自己的生命。這些都是「人的處境」的重要發展。（更具爭議的一項發展是，一些國家已開始考慮，對於一些並非患了絕症或長期受疾病折磨的人，只要他認為已經「活夠了」，是否也有申請安樂死的權利。）

現實與道德的兩難

大家可能都聽過火車軌悲劇的道德兩難命題（moral dilemma）：六個小孩不理警示前往火車軌之上嬉戲，但其中一個覺得這樣做不對，於是轉往在旁一條廢棄了的火車軌上獨自嬉戲。之後有火車疾駛而至，司機因為不夠距離剎車而只有兩個選擇：不轉軌把五個不守規矩的小孩撞死，或是轉軌而把一個守規矩的小孩撞死。假如要你作出決定，你會如何選擇呢？

從以上的討論可見，我們對「善」的追求並非想像中的簡單。哲學家米高 • 桑德爾（Michael J. Sandel）在著作《正義：一場思辨之旅》（*Justice: What is the Right Thing to Do?*, 2010）之中，分析了眾多現實生活中的道德兩難之局，很值大家找來一讀。

將火車的例子推到極至，我們會問：「假如我們令一個善良的、無辜的人受到無盡的折磨，卻可換來全人類長久的幸福快樂，我們會這樣做嗎？」我不知你會怎樣答，但世上一些專制的政權（以及它的辯護士）已經選擇了：無情打壓一小撮異見分子以維持社會繁榮穩定，被認為是合情合理的一回事。（古代一些以活人祭祀而祈求神靈驅禍降福的民族，顯然也作了類似的選擇。）

對「善」的追求必然包含著「怎樣才是美善的人生？」（What is a good life?）以及「怎樣才是最佳的社會制度？」等大哉問。有關前者，我們在上一章的「智慧與幸福」中已論及，無需在此贅述。有關後者，特別是有關「左」與「右」的爭辯，我們會於展望人類未來的《人類的前途》一書中探討，有興趣的朋友，可先閱讀香港中文大學政治及行政系副教授周保松的著作《政治的道德》(2015年增訂版) 作為熱身。

我在此想和大家探討的，是以下兩個由「求善」衍生的現實問題。第一個問題是：「善」的相反是「惡」；而「義」的相反是「不義」。致力擴充人的「善心」當然是我們應該努力的方向，但我們不能迴避的一個問題是，為了保赤安良，我們在行善之餘，往往必須向「不義」的「惡」宣戰。古巴革命的核心人物、革命家哲古華拉（Che Guevara）說：「如果你對任何不公義的事情都感到義憤填膺，你便是我的同道人。」（If you tremble with indignation at every injustice, then you are my comrade.）很多人對「善」的理解只是限於「善心」與「善行」的層面，但在一個不義的世界，善的彰顯顯然是一件複雜得多的事情。

市場效率讓公平被棄置

甚麼是不公義呢？簡單來說就是人對人的迫害。這些迫害可以是明顯的，也可以是較隱蔽的。讓我們先探討一下後者。一些人看見社會上的不公，會十分世故地說：「世界從來都是不公平的囉！」對，上天從來便是不公平的，世上有人天生魁梧且孔武有力，有人則天生孱弱手無搏雞之力，但那並不表示前者可任意欺侮後者。公平從來都不在物而在心。人有愚智美醜之別，但聰明的人不會因此欺騙愚鈍的人；

美貌的人不會因此瞧不起貌醜的人，這才叫做公平，這才叫做美德。顯然，一顆公平的心會令世界變得更美好。

很不幸，近代的經濟學成為了當世顯學。這套以「最高效率」為終極目標的經濟學，認為市場是達至最高效率的不二法門，因此市場產生的任何結果（如日益加劇的貧富懸殊和經濟動蕩），都是我們必須接受的。任何透過行政手段消滅貧富懸殊的措施，因為「違反經濟規律」，都只會把事情弄得更糟。結果，公平原則被認為幼稚而棄置一旁。敢於堅持這個原則的人被批評為不懂經濟，即使不是別有企圖，也會「好心做壞事」。對於這些人，近年流行的一個帶有貶義的稱謂是「左膠」。

這當然是荒謬之言，亦正是社會學家韋伯（Max Weber）所說的以「工具理性」（instrumental rationality）掩蓋「價值理性」（value rationality）的可悲例子。印度聖雄甘地（Tushar Gandhi）說：「貧窮是最可怕的暴力！」（Poverty is the worst form of violence!）如果我們對「善」的追求是認真你話，我們必須戳破這個謬誤，而重新建立一套令所有人都能過豐足和美好生活的經濟學。

一些人以為只要經濟不斷增長，貧富懸殊其實並不重要。且不去考慮這種增長（「不斷將蛋糕做大」）對環境帶來的嚴重破壞，讓我們聽聽唐君毅先生的慨歎：「少數人以物質之享樂而淹沒其精神發展；多數人以物質之過於缺乏而窒礙了精神發展，世間還有比這更大的悲劇嗎？」

上述是對於隱蔽式（被權貴階層所操控的市場所掩蔽）的迫害而

言，對於明顯的迫害（如奴隸制度、殖民主義/ 新殖民主義的掠奪、國族間的侵略、專制政權的壓迫等），我們當然要大張撻伐致力消除。不錯，佛家的理想是作惡的人終能受到感化而「放下屠刀，立地成佛」，但在這之前，對邪惡仁慈，即等於對善良殘忍，所以佛家也有「低眉菩薩變為怒目金剛」之說，以及「降龍伏虎，斬妖除魔」的宏誓。

然而，和平主義者從根本上反對「以武制暴」，認為暴力只會衍生更多的暴力，做成惡性循環和人性的沉淪。支持抗爭的人則反駁：「沒有公義，哪來和平？」（No justice, no peace!）進一步說是「沒有抗爭，哪來進步？」（可以參考婦女爭取普選權的可歌可泣歷史），因此「抗爭才是硬道理」。在他們看來，高舉「和諧穩定壓倒一切」的人，即使不是助紂為虐，至少也在姑息養奸。（上世紀納粹和法西斯政權在歐洲崛起時引發的辯論是典型的歷史事例。）

以上的觀點孰是孰非？此乃「人類處境」的一大課題，筆者不打算在此回答，還請各位讀者自行判斷。（大家可以嘗試從「宜斯策略」的「鷹、鴿對壘」角度來思考一下。）

至於第二個由「求善」衍生的問題是，如果我們大致將「善、惡」與人世的「樂、苦」相對照，那麼「善」是「去苦得樂」而「惡」是「去樂得苦」（或是將自己的快樂建築在別人的痛苦身上）。回顧羅素所列的第三大動力：「對人類苦難的巨大不忍之情」，去除人世間的苦難，顯然是「善」的一個核心內容。所謂「善哉！善哉！」佛家的宏願正是「渡一切苦厄」。

人類滅絕　世界了無價值

從最根本的角度出發，如果人的苦難（human suffering）不重要，世上便沒有東西重要。

這便把我們帶到近年某些人對人類前途的看法。由於失控的資本主義工業文明正不斷帶來資源虛耗、環境污染、氣候變遷、生態破壞、物種滅絕等等深重的災難，不少人在深痛惡絕之餘，遂萌生一種強烈的思想，認為人類的滅絕是值得慶賀和期待的事情。筆者對這種激進的思想深表同情，卻是不能苟同。

嚴格來説，這是一種「虛無主義」多於「激進主義」思想。這是因為，「熱愛自然」和「重視環保」都不是沒有主體的命題：是「人」去熱愛自然，是「人」去重視環保。毋庸置疑，最徹底的環保政策是全人類集體自殺。但之後還有誰去熱愛？還有誰去重視呢？人既是價值的主體，沒有了人還有甚麼價值可言呢？

對，這完全是一種「人類中心論」，但我們不是剛剛才決定了，如果人的苦難不重要，世上便沒有東西重要嗎？而世間有比人類滅絕更大的苦難嗎？

如果你說，全人類皆死去的話，苦難不苦難已沒有意義，那麼這跟歷史上的滅族和屠城有甚麼分別呢？如果某個族或某個城的人全被殺掉，那麼對於這些人來說，苦難不苦難也都沒有意義。再引申下去，殺人的罪行應該遠遠在傷人之下，因為死去的人不會感到痛苦。

「人類滅絕救世界」固然是一種意氣之言的偽命題，但另一種觀點卻更令人心寒。筆者不止一次聽過，一些朋友在得悉世界的局勢是如何凶險，而其間不少問題乃來自資源的爭奪和環境的超越負荷之時，作出了好像十分睿智的結論：「看來世界的人口要死一半以上，世界才可得救。」（這已是較好的表達，一些人說這句話時是語帶輕佻的。）我每次聽到這樣的話都深感不安，我當然不是擔心說話的人會去殺掉一半人類，而是痛心一個受過教育而從未試過殺人放火的人，竟然可以說出這等麻木不仁的話！人類真的已經沉淪到這個地步？

誇張一點說，歷史上的冷血屠夫就是這樣練成的。中國歷史上著名的殺人王張獻忠的一句名句是「天生萬物以養人，人無一德以報天，殺殺殺殺殺殺殺！」（雖然歷史學家對這句話是否真的出自張獻忠有所保留。）

我上文之所以說「不能苟同」，是因為迄今為止，地球資源的問題不是一個絕對匱乏的問題，而仍是一個不折不扣的「不患寡而患不均」的問題。很多人可能從來沒有想過，一個美國人所消耗的各種資源，平均是一個印度人的10倍，是一個埃賽俄比亞人的100倍。如果我們要消滅一半的人口，是應該先消滅美國人（與其他發達國家的人），還是應該先消滅貧苦國家中的人呢？

「善」與「不義」和「人的苦難」（和「誰的苦難？」）等命題是分不開的，這亦是「人的處境」中有待解決的問題。

5.4 求美——人類文明躍升的標誌

我們在第三章裡已初步論及人的愛美天性。但這種我們稱為「美感」（esthetic sense）的天性究竟從何而來？它又具備怎樣的特質呢？

不少人說「各花入各眼」（英文則是 Beauty is in the eye of the beholder），也就是說，所謂「美」是相對的，根本沒有客觀標準可言。這種說法不無它的道理，但肯定不是事實的全部。

請試想想，絕大部分人都會覺得一棵青蔥茁壯的大樹很美，也會覺得一頭魁梧健壯的大象很美，但對於一棵已受寄生蟲侵害以至殘缺枯朽的樹呢？又或是一頭疾病纏身、骨瘦嶙峋的大象呢？顯然，美的感覺是有一定客觀基礎的。

中國的「美」字就由「羊」和「大」這兩個字組成，亦即「羊大為美」。其餘像「善」、「養」、「群」、「祥」等字皆從「羊」部，說明中國人曾以安穩的牧羊生活作為美滿生活的基礎。按照我們一直以來的討論，我們有理由相信，「美感」（至少在初期）也是一種演化的產物。

讓我們做一個擬想實驗，假設我們選擇中國人、印度人、瑞典人、南美印弟安人、澳洲原住民等幾個族群，然後隨機地在這些族群中選取一百個男性和一百個女性，並為他（她）們各自拍一輯標準的照片。好了，如今我們把照片拿給不同種族不同文化背景的人，並叫他們在每組中挑選出他們認為最漂亮的十個人，你猜挑選的結果會大相逕庭？還是會有很大的相同呢？我膽敢說，相同的程況應該較多。

美感與大腦構造有關

上述這個實驗牽涉不少資源所以不易進行，但另一個實驗則容易進行得多。你只要找到一座鋼琴並找來一班朋友站在一旁。你先胡亂按白鍵，然後再胡亂按黑鍵，跟著問問朋友覺得那種聲音更悅耳。這次我會更肯定地告訴大家，大部分人都會覺得亂按黑鍵更為悅耳。原來，黑鍵是按照「五音音階」排列，而白鍵則是按「七音音階」排列，而前者較易令人產生悅耳的感覺。這也是為甚麼世界上不少民族的民間音樂都採取了五音音階的原因。

我們不知道為甚麼五音音階會較易生產生悅耳的聲音，但無可置疑的是，無論是我們所認同的「美貌」還是「聽覺上的美」，某一程度皆與我們的大腦構造有關。同樣，在幾何圖形上，大部分人都喜歡好像天壇和泰姬陵那種高度對稱的美。而數學上符合「黃金比例」的形狀和構圖，亦很易予人美的感覺。

當然，「愛美」只是起步點。從簡單的愛美到藝術境界的追求，是人類文明躍升的一大標誌。無論是音樂、繪畫、雕塑、建築、文學還是戲劇，偉大的藝術能夠將人的精神帶到一個超升脱拔的境界，哲學家康德稱之為「崇高的感覺」（sense of the sublime）。

對於某些講求實際的人，藝術可能只是一種奢侈品甚至是對現實的逃避。這當然是一種膚淺的看法。詩人濟慈（John Keats）説：「美就是真、真就是美」，小説家納布柯夫（Vladimir Nabokov）則謂：「科學離不開想像，藝術離不開真實」，畢加索的説法則更為奧妙：「藝術透過了謊言來展示真理。」事實上，對於不少熱愛藝術的人而言，藝術較科學和哲學能夠令人更為接近真理，因為偉大的藝術能夠直接揭示人生和宇宙的真締，而毋須解釋這些真締是甚麼。之所以有人説：人生即是藝術，藝術就是人生。

我們不一定要閱讀好像《紅樓夢》或《戰爭與和平》等文學鉅著才可領略藝術的魅力；只要我們肯認真地閱讀，將會發覺讀一本文筆優美而又充滿敏鋭觀察和富於深刻情感的遊記，和親身前往當地旅遊（即使是深度遊）所感受到的，完全是兩碼子事，彼此是不能互相取代的。

筆者是一名不折不扣的書癡，最近在網上讀到的一段話可謂深得我心：「閱讀一本好書的時候，最高的境界是我完全忘記了自己在閱讀。雖然看的是文字，卻已超越文字而徹底進入書中的世界。我腦海中聽到各種聲音，而非僅僅是文字所形容的聲音；我的內心經歷各種情感，而非僅僅是文字令我想象的情感；我和故事中的人物憂戚與共，而忘記了他們只是紙上的虛構……一些紙上的墨跡，卻令我經歷愛與恨、哭與笑……這是人生中最不可思議最美妙的事情！」這，便是藝術的魅力。

藝術創作 風格是一切

藝術和科學同樣是人類精神文明的偉大成就，但兩者在本質上確有很大的差異。不同的科學家固然會有不同的研究風格，但科學所注重的，是研究之後所得的成果。相反，對於藝術創作而言，誇張的一點說，風格就是一切。無論你的技巧有多好，無論你作為一個畫家畫了多少前人未畫過的題材，如果你的作品沒有獨特的個人風格，你將沒有機會名留史冊。

的確，無論「樂聖」貝多芬的作品有多優秀，如果沒有了後世好像拉威爾、史特汶斯基和蓋希文等風格迥異的作品，古典音樂將會乏味得多。同樣，無論達文西的繪畫有多偉大，如果沒有了後世好像雷諾瓦、莫奈或梵高等的作品，繪畫的世界也會貧乏得多。

在藝術哲學中，一個奧妙的問題是先有審美眼光（藝術感）才有藝術品？還是先有藝術品才有審美眼光？此外，不少藝術家都聲稱，他們所做的只是「揭示」而非「創造」：雕刻家只是將頑石內所蘊含的形狀釋放、而音樂家只是將音符間應有的關係排列等等。有人甚至認真地提出，莫扎特的音樂不是他所作，而是他把腦海裡不斷湧現的「天籟」記錄下來罷了。

另一個有趣的問題是，美的標準往往隨著時代轉變（唐代女性以豐滿為美是著名例子），但這些轉變是完全隨機的？還是有脈絡可尋？

不少人將藝術創作比喻為女性分娩的過程，無論過程如何艱辛，作品一旦完成，它便擁有自己的生命。科幻作家阿西莫夫（Isaac Asimov）便有過以下奇妙的經歷：他參加一次科幻大會時，在一場研討會中聽到一位女士深入分析他的作品，他最後忍不著發言，說分析中有關作品背後的種種隱喻可能並非作者的原意。發言的女士當然不以為然。在一番唇槍舌劍後阿西莫夫唯有表露身份。對方先是一諤，然後面不改容地說：「為甚麼你以為小說是你寫的，你便完全明白它背後的含義！」民初作家夏丏尊寫過一篇名叫〈讀者可以自負之處〉的文章，他若是得知定必會心微笑。

後現代主義學者羅蘭•巴特（Roland Barthes）在1967年發表的一篇文章提出「作者已死」（death of the author）的觀點，即作品完成後作者已不重要，唯一重要的，便只有文本和讀者本身。雖然他的出發點是打破社會文化的權力話語宰制，卻與上述的觀點不謀而合。

一個較為現實現問題是，在極度商品化的現代社會，能夠完全擺脫商業影響的藝術創作還有多少生存空間？

專制主義對藝術創作的扼殺是明顯的（史太林時代的蘇聯和毛澤東

時代的中國是最明顯的例子），但較為少人留意的，是商業掛帥所做成的傷害。為了迎合市場的需要，也為了獲得私人的贊助，藝術家在創作的道路上每每要作出種種妥協。(類似的情況其實也發生在科學研究之上，例如今天不少生物學研究都受到了大藥廠大財團的資助。）較理想的情況當然是，以納稅人的金錢運作的政府，在推動藝術創作和基礎科學研究方面肩負起更大的責任，但在現實世界，先進國家很多都經已負債纍纍，在這方面有心無力。這也是「人的處境」所面對的一大問題。

5.5 求超越——信仰與不朽的境界

在「人追求甚麼？」的路途上，我們終於來到了最後一站，那便是人類對信仰和超越的追求。

在「何謂人性？」一章之中，我們已介紹了人的「宗教衝動」，並指出這種衝動實源於（1）害怕自身的死亡、（2）害怕心愛的人消失、和（3）對公平（善惡報應）的追求等因素。亦有心理學家指出，我們想投到全能和至善的「神」的懷抱並沐浴在祂的大愛之中，是我們渴望回復嬰兒時期重新感受母愛（甚至想回歸至母體內的舒適環境）的一種投射。而對神的敬畏，則是我們兒時對父親敬畏的一種投射。

筆者執筆的2022年期間，世界人口是80億，而跟據統計，其中24億人信奉基督教（包括天主教、東正教和新教）、19億人信奉回教、11.6億人信奉印度教、5.2億人信奉佛教、近6億人則信奉其他宗教。也就是說，地球上80%的人擁有宗教信仰。

上述的數字可以通過統計得悉，但接著下來的數字則無法統計，那便是，這些信仰宗教的人有多虔誠？這包括他們在日常生活上遵循宗教戒律的程度，也包括他們是否完全相信所屬宗教有關「人從何處來？」和「人往何處去？」的教義。事實是，歷經西方「啟蒙運動」的洗禮，不少社會皆已經歷「世俗化」（secularisation）的過程，亦即達致「政教分離」和「信仰歸信仰、世俗歸世俗」（借用耶穌的「凱撒的歸凱撒、上帝的歸上帝」一詞）的地步。

宗教未必包含有神論

英國哲學家羅素（Bertrand Russell）指出任何形式宗教（formal religion）必須包括三個 C：creed（有關宇宙起源和萬物秩序的教義）、code（有關正當生活的倫理守則）、church（團結信眾宣揚教義的組織）。有趣的是，他沒有明確指定「有神論」作為宗教的必要條件。的確，如果以此為條件，則信奉無神論的佛教會被摒諸門外。但若以羅素的定義，佛教顯然也是一個重大的形式宗教。

科學和宗教有衝突嗎？如果按照羅素的分析，衝突主要出現在第一項「教義」（creed）之上，特別是有關宇宙起源和人類起源的論述之上。不少開明的教徒已經看出，這種衝突是完全不必要的。宗教涉及的是靈性的領域，而科學涉及的是知識的領域。我們的祖先以當時極有限的知識來理解這個世界的緣起和運作，這與科學後來所揭示的有所不同沒有甚麼大不了（當然不同宗教的論述，彼此間也大不相同）。科學作家喬治•哈里遜（George R. Harrison）這樣說：「人藉著有限的理解力，沿著人生的道路艱苦的往上爬時，假如不從他所見的四周照過來的燈獲得亮光，又有甚麼別的辦法呢？假如他在攀爬的初期誤以為燈就是亮光，誰又能怪責他呢？」

天文學家薩根則這樣說：「如果人類是由上帝創造的，那麼我們的好奇心和理性分析能力也必然由祂所賜予。如果我們不以這種好奇心和分析能力來探究宇宙的奧秘，那將是對上帝的大不敬。」

對於宗教信仰和科學之間的關係，古生物學家史提芬•古德

（Stephen Jay Gould）提出了「不重疊統攝領域」（Non-Overlapping Magisteria, 縮寫為NOMA）這個概念，即認為彼此所關心的問題、採取的方法和渴望達到的境界皆截然不同，所以兩者完全可以並存和沒有衝突。

宗教帶來慰藉亦帶來衝突

開明的人常説信甚麼宗教其實沒有所謂，因為宗教都是導人向善的。原則上這沒有錯，但從歷史的角度看，宗教的影響是弔詭的，它一方面為無數的人帶來了心靈上的慰藉，但另一個面也帶來了不歇的衝突（十字軍東征和歐洲的「宗教戰爭」是著名的例子），至令血流成河生靈塗炭。

撇除了民間的鬼神之説，中國人可能是世界上宗教觀念最薄弱的民族。就筆者看來，這是因為受到「至聖先師」孔子的影響。且看孔子的有關言論：

- 天道遠，人道邇；未知生，焉知死。
- 未能事人，焉能事鬼。
- 敬鬼神而遠之。
- 敬神如神在，事鬼如鬼在。

從上可見，孔子的思想是古代世界裡最為淑世的「人本主義」思想。他不獨不信鬼神（只是不能公開宣稱），更連商、周所強調的「天道」、「天命」也等閒視之，並謂「人能弘道，非道弘人」。正因這樣，「人、神關係」、「永生」等從來不是中國知識分子關心的議題。（孔子也是理性主義的先驅，他説：「知之為知之，不知為不知，是知也。」這正是理性主義的精髓。）

儒家追求的不是「人、神關係」，而是透過道德修養的不斷精進，最後達到「內聖外王」的境界。儒家也追求「不朽」，但那是「立功、立言、立德」的不朽，以及「人生自古誰無死，留取丹心照汗青」的不朽。

篤信上帝的人當然不能接受儒家的世界觀，但即使是無神論者，也有可能不滿儒家的論述。為甚麼？這是因為有些人會覺得「內聖外王」未能涵蓋我們對宇宙和人生的目的、價值和意義的追求，以及我們對「超越」的嚮往。

渴望超越紅塵　投身超脱境界

生物學家威爾遜這樣説：「即使經驗世界的規律降服了我們的頭腦，超驗境界的追求卻仍呼喚著我們的心靈。」（Even as empiricism is winning our mind, transcendentalism continues to win our heart.）

「宇宙和人生的目的、價值和意義」我們稱為人類的「終極關懷」（ultimate concerns）；而所謂「超越」（transcendance），則是指我們現時所知、所覺、所感的存在，極可能只是一個更大更真的「實在」的投影（柏拉圖的「洞穴影子」比喻），而我們終有一天能夠超越這個膚淺虛妄的「紅塵」，投身到一個更偉大的「實在」中去。在這個實在中，我們的靈性（spirituality）會達到一個更超脱、更圓滿的境界。這種信念，我們統稱為「神秘主義」（mysticism）。

可以看出，對「終極關懷」和「超越」的追求，可以和有神論有關，也可以完全無關。耶穌的重臨和「最後的審判」是有神論的一個例子，而佛教所追求的「涅盤」境界（Nirvana）則是無神論的例子。

一個有趣的觀點，來自有份參與研究「北京猿人」的比利時神父德日進（Pierre Teilhard de Chardin）。他在1955年發表的著作《人的現象》（*The Phenomenon of Man*）之中，嘗試將達爾文的進化論和天主教的教義結合起來，並指出生物進化乃按上帝的計劃進行，而最後的目標，是全人類皆達至聖靈境界的「阿米加點」（Omega Point）。然而，這套觀點始終沒有被正統神學所接受。

無論是有神論還是無神論，儒家分子認為這些追求本身就是虛安。凡舉「目的、價值和意義」都是人所定立的，所以只能求諸內而不能求諸外。《論語》有云「上天有好生之德」;《道德經》則謂「天地不仁，視萬物如芻狗」，究竟何者才對呢？事實當然是兩者皆對。換一個角度看，究竟是「天有眼」還是「天無眼」呢？亦即上天會否主持世間的公道，賞善罰惡？西方神學當然認為「天有眼」，亦即上帝不但會賞善罰惡，祂根本便是一切是非善惡的總泉源。也就是說，脱離了上帝，一切是非善惡都會變得沒有意義。

當然，「全能」和「至善」的上帝為甚麼會讓世間的苦難發生，是西方神學一個永恆的問題（problem of suffering）。例如地震發生時一班虔誠的信徒齊集在教堂裡祈求庇護，但教堂卻轟然倒塌將所有信眾壓死。篤信的人只能説：神的意旨不是我們凡人可以猜度的。(英文是"God moves in mysterious ways.")

愛因斯坦常常談及上帝，例如「上帝不擲骰子」、「我想知道上帝的心思，其餘的都是細節吧了。」、「我想知道，上帝在設計宇宙時究竟有多大的自由。」等等。但他也十分明確地指出，他絕不相信有如《聖經》中描述的、會賞善罰惡的一個「人格神」（personified god），所以他指的「上帝」實有如老子所説的「道」。他自認是個虔誠的人，以下是他的解釋：「知道世上存在一些我們無法參透的事物，以及領悟到最深刻的理性和最純潔的美的展現……正是這種認識和情感，構成了真正的宗教情操。在這個意義上，也只在這個意義上，我是一個極端虔誠的人。」

理性感情應互為融通

現代一些學者已經指出，人類未來的發展方向，應該是「沒有宗教的信仰」（faith without religion）、甚至是「沒有信仰的靈性」（spirituality without faith）。著名法律學者羅納德 • 德沃金（Ronald Dworkin）在他的遺作《沒有上帝的宗教》（*Religion Without God*, 2013）之中對此作出了深刻的論述，有興趣的朋友可以找來一讀。

筆者自認是個帶有神秘主義傾向的無神論者和儒家分子。對於造化之神奇，我們必須抱著欣賞、珍惜、謙卑、虔敬和感恩的心。愛因斯坦有句名言，是筆者十分欣賞的：「我們可以有兩種生活態度，一種是認為世上沒有甚麼東西是奇蹟，另一種則認為世上每一種事物都是奇蹟。」大家當然知道我選擇的是哪一種。

筆者深信沒有感情的驅使，理性便會枯竭；沒有理性作指引，感情便會盲目。人的物性、理性、感性和靈性必須融通，人類可才得到真正的快樂；而缺乏了敬畏之心，災難旋踵即至。我稱這種思想為「科學神秘主義」（scientific mysticism）。

得道者云：學佛有三層境界：第一層是「見山是山，見水是水」，等二層是「見山不是山，見水不是水」，而最後一層是：「見山復是山、見水復是水」。這誠然是一種很高的智慧。我們在上文説過，「母愛是演化的產物」和「母愛是偉大的」不應存在矛盾，了解到前者而仍然擁抱後者的，就是「見水復是水」。同理，現代物理學告訴我們，物質乃由百分之99.99……都是空虛的原子所組成，所以我們所謂的固體如木、石甚至金鋼鑽，都只是騙人的虛妄。但這只是達到「見山不是山」的境地。明白到由虛空原子組成的物質確實可以呈現為氣體、液體和固體等不同型態，而三者確有不同特性，所以固體並非虛妄之物，這才是「見山復是山」的境界。

佛教說「人人皆可成佛」，卻從沒細說「人人皆已成佛」之時會是怎樣的光景。當然，對於我們這些離「成佛」還有十萬八千里的眾生，應該是說了也不會明白。但人總是好奇的，也喜歡幻想猜測。所謂「萬法歸宗」、「放下屠刀，立地成佛」、「擔水破柴、無非妙道」。筆者喜歡這樣想：佛家所追求的，應該就是返樸歸真的「拈花微笑」境界而已。

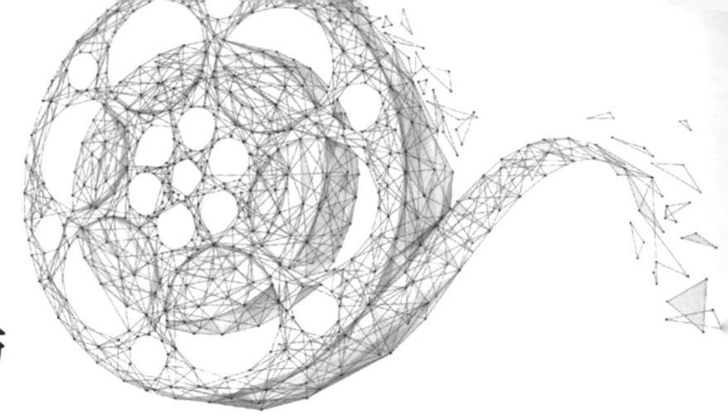

5.6 人生正是宇宙大劇場

十九世紀末、二十世紀初是中國知識界的重要啟蒙時期。無論是西方有關人權、自由和民主憲政的思想、達爾文的生物演化理論、還是馬克思的辯證唯物史觀等，都為中國的知識分子帶來莫大的衝擊。

吳稚暉是橫跨清末與民初的一位著名學者，亦是中華民國的開國元老之一。他吸收了西方有關宇宙學和生物演化的知識後，於1923年發表了一篇名叫〈一個新信仰的宇宙觀與人生觀〉的長文，表達了他對宇宙與人生的看法。筆者多年前初讀這篇文章，即深深被作者那超越時代的思想所震撼。文中吳氏以其豐富的人生閱歷，大膽地摒棄了儒家的高義，返樸歸真地指出，人生的要義，不外乎「結婚、生子和請客吃飯」這三件事情；而最高的享受乃「江上之清風，山間之明月」，可謂深得我心。

然而，最令我震撼的，是以下這段話：

「所謂人生，便是用手用腦的一種動物，輪到『宇宙大劇場』第億垓八京六兆五萬七千幕，正在那裡出台演唱。請作如是觀，便叫做人生觀。

這個大劇場，是我們自己建築的。這一齣兩手動物的文明新劇，是我們自己編演的。並不是敷衍甚麼後台老板，貪圖趁機幾個工錢，乃是替自己盡著義務。倘若不買力，不叫人『叫好』，反叫人『叫倒好』，也不過反對了自己的初願。因為照這麼隨隨便便的敷衍，或者簡直踉踉蹌蹌的鬧笑話，不如早還守著『漆黑的一團』。何必輕易的變動，無聊的綿延，擔任演那兆兆兆兆幕，更提出新花樣，編這一幕的兩手動物呢？

並且看客亦就是自己的眾兄弟們，他們也正自粉墨了登場。演得好不好，都沒有甚麼外行可欺。用得著自己騙自己嗎？」

又有甚麼人可欺呢？

這是有關「人的處境」最精闢的闡述，即使在一百年後的今天看來，也絕不覺得過時。是的，所有人都粉墨登場了，又有甚麼人可欺呢？

科幻作家雷 • 布萊伯利（Ray Bradbury）這樣說：「驅使我不斷前進的最大動力，是一種發自內心的感恩之情：感激我有機會來到塵世走一回，感激我能夠活著，並且不竭有著奇跡般的經歷，無論這些經歷是如何令人雀躍或是沮喪……我毫無保留地擁抱這一切！它們並非全部歡欣美好，也並非全部醜陋可怖，而是如浪潮起伏般，時而令人絕望、時而令人興奮莫名，而我們對背後的原委卻一無所知。

我們的歷史是如此的短暫、我們的經驗是如此的有限、我們的科學是如此的稚嫩、我們的宗教是如此的狹隘……以至我們只要略為反思，便知道我們只是剛剛起步，而人類最偉大的歷程仍然在我們遙遠的前方，既可怕亦可愛、既充滿黑暗也充滿光芒。

要好好地活下去，我們必須停止追問：我們為何而生？因為生命就是牠本身的答案。生命的要義，是將生命不斷延續；而生活的要義，是真誠和充實的活到最後一刻。」

關於充實的生活，自幼便失明和失聰的美國作家及社運分子海倫•凱勒（Helen Keller）這樣說：「善用你的眼睛，就像明天你會失去它們一樣；善用你的耳朵，就像明天你會失去它們一樣；善用你的嗅覺，就像明天你會失去它一樣……」甘地則勸勉我們：「認真地活著，就像明天你便會死去；努力地學習，就像你會長生不死。」

天堂或地獄　盡在一念間

在終極價值和意義的追尋上，法國生物學家莫諾（Jacques Monod）在他的著作《偶然與必然》（*Chance and Necessity*, 1970）中這樣說：「天國在上，地獄在下，宇宙間沒有一處定出了人類的權利與義務。在無盡的黑暗和虛空之中，我們必須作出自己的選擇。」

的確，道德的觀念固然有它的生物演化基礎，但自從人類演化出高等的意識、思維與情感之後，我們便逐步成為了自己的主人。歸根究底，道德中的是、非、善、惡以及人生和宇宙的目的、價值和意義等，皆只能求諸內，而不應求諸外。事物之有善惡，是因為我們去判斷甚麼為善、甚麼為惡；宇宙之所以有意義，是因為我們賦予它意義；而人生之所以有價值，是因為我們認為它有價值。弄明白這一點之後，我們便可以避免很多不必要的爭論，轉而集中精神，以我們的愛心和智慧，積極地去建立一套適合於人類發展的道德。

所謂「一念天堂、一念地獄」，台灣著名雕刻家朱銘所作的一首小詩亦為「人的處境」作出了深刻的注腳：

人間有天堂，
地獄在人間；
問君何所往，
全憑一念間。

昨日已逝，明日是謎，珍惜此際，盡力而為。至此，我們終於完成了有關「人類處境」的初步考察。而另一冊書《人類的前途》，將會探討人類自踏上文明之路所經歷的重大轉折，從而解釋「世界為甚麼是這麼樣？」以及「人類將往何處去？」

結語

人的處境是一個非常龐大和複雜的題目。從某個角度看，本書的內容可算頗為獨立完整；但從全面探討「人類處境」的角度看，本書只是探討了問題的一半，甚至只是剛剛起步。

為甚麼這樣説呢？這是因為本書只是回答了「人從哪裡來？」、「人的本質為何？」以及「人追求甚麼？」這幾個問題，卻未有回答「人類今天的處境為何？」以及「我們應往何處去？」這兩個大哉問。要回答這兩個重大的問題，是另一本書《人類的前途》的責任。

筆者執筆期間，全球大瘟疫已經肆虐數年，俄羅斯入侵烏克蘭的戰爭仍未完結，除了奪去無數人的性命外，兩者加起來令全球經濟受到重創，亦引發了能源危機以及滯脹（經濟衰退下的通脹）的威脅。與此同時，氣候變化的惡果不斷湧現，生態環境的崩壞有增無已，而貧富懸殊則達到空前的地步。另一方面，人工智能、大數據、全民電子監控、無人機殺手等等發展，正預示一個令人戰慄不安的「美麗新世界」。一些學者鄭重提出，如果人類未能改弦更張力挽狂瀾，人類文明在本世紀之內大幅崩潰不是沒有可能的事情。

大家閱讀至此，顯然對「人的處境」包括「人的未來」十分關心。筆者誠意邀請大家繼續前進，閱讀拙著《人類的前途——未來50與500

年》，然後看看你的觀點和預測，和我的會有甚麼相同和相異之處。而更重要的是，看看我們對人類的前途有甚麼理據悲觀，又有甚麼條件樂觀。

李偉才

2022 年 10 月 30 日

《天地人間——從宇宙洪荒到人的處境》

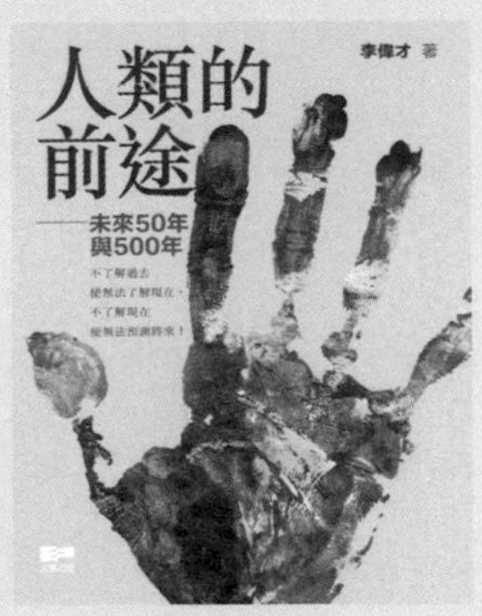

《人類的前途——未來 50 年與 500 年》

參考書目

總論及經典作品

1. Marcus Aurelius, *Meditations*（170-180 AD）
2. Thomas Huxley, *Man's Place in Nature*（1863）
3. Alfred North Whitehead, *Science and the Modern World*（1925）
4. Lothrop Stoddard, *Scientific Humanism*（1926）
5. Sigmund Freud, *Civilization and Its Discontents*（1930）
6. Bertrand Russell, *The Scientific Outlook*（1931）
7. George Russell Harrison, *What Man May Be*（1956）
8. Hannah Arendt, *The Human Condition*（1958）

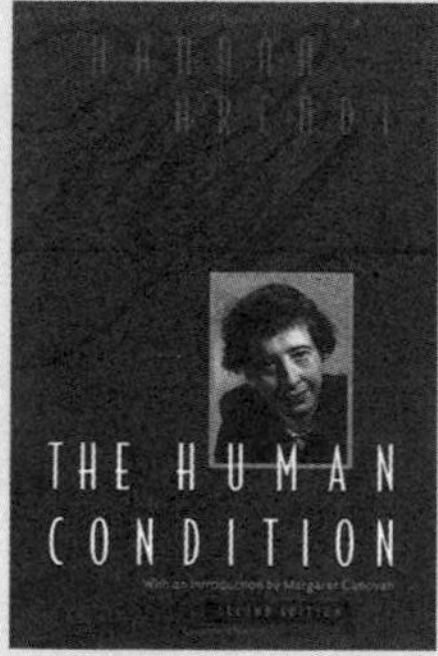

The Human Condition
作者：
Hannah Arendt
出版社：
The University of Chicago Press
(圖片來源：Amazon)

9. Isaiah Berlin, *The Proper Study of Mankind*（1997）
10. Ken Wilber, *A Brief History of Everything*（1997）
11. Jeremy Griffith, *A Species in Denial*（2003）
12. Michael Frayn, *The Human Touch*（2006）

13. Brain R. Clack & Tyler Hower, eds., *Philosophy and the Human Condition: An Anthology*（2017）

14.《道德經》、《論語》、《孟子》、《大學》、《中庸》

15. 吳稚暉：《一個新信仰的宇宙觀與人生觀》（1923 年）

16. 馮友蘭：《人生的哲理》（1924 年）

17. 林語堂：《生活的藝術》（1937 年）

18. 唐君毅：《人生之體驗》（1946 年）

《人生之體驗》
作者：
唐君毅
出版社：
台灣學生書局
（圖片來源：誠品）

19. 韋政通：《中國的智慧：中、西偉大觀念的比較》（1975 年）

20. 梁漱溟：《人心與人生》（1984 年）

第一章：人從哪裡來？

21. Ian Tattersall, *Masters of the Planet – The Search for Our Human Origins*（2012）

22. Alice Roberts, *Evolution: The Human Story* (rev ed., 2018)

23. Louise Humphrey and Chris Stringer, *Our Human Story* (2018)

24. "New Scientist": *Human Origins: 7 Million Years and Counting* (2018)

25. Christopher Seddon, *Humans: From the Beginning* (2018)

26. Sang-Hee Lee and Shin-Young Yoon, *Close Encounters with Humankind* (2018)

27. Chip Walter, *Last Ape Standing* (2013)

28. Chris Stringer, *Lone Survivors* (2012)

29. Douglas Palme, *Seven Million Years* (2007)

30. Matt Ridley, *Genome: Autobiography of a Species in 23 Chapters* (2013)

Genome: The Autobiography of a Species in 23 Chapters
作者：
Matt Ridley
出版社：
Harper Perennial
(圖片來源：Amazon)

第二章：人類在宇宙中的位置

31. Timothy Ferris, *Coming of Age in the Milky Way*（1988）

32. John Gribbin, *In Search of the Big Bang*（new ed. 2015）

33. Stephen Hawking, *The Universe in a Nutshell*（2001）

The Universe in a Nutshell
作者：
Stephen Hawking
出版社：
Bantam
（圖片來源：Amazon）

34. Brian Cox & Andrew Cohen, *The Human Universe*（2014）

35. Sean Carroll, *The Big Picture*（2016）

36. Carl Sagan, *The Cosmic Connection*（1973）

37. Carl Sagan, *Cosmos*（1980）

38. Carl Sagan, *Pale Blue Dot*（1994）

39. Joel R. Primack & Nancy Ellen Abrams, *The View from the Center of the Universe*（2007）

40. Paul Davies, *Cosmic Jackpot*（2007）

41. Stephen Hawking, *The Grand Design*（2010）

42. Chris Young Kelly, *From Where We Came*（2021）

第三章：人的本性為何？

43. Richard Dawkins, *The Selfish Gene*（1976）

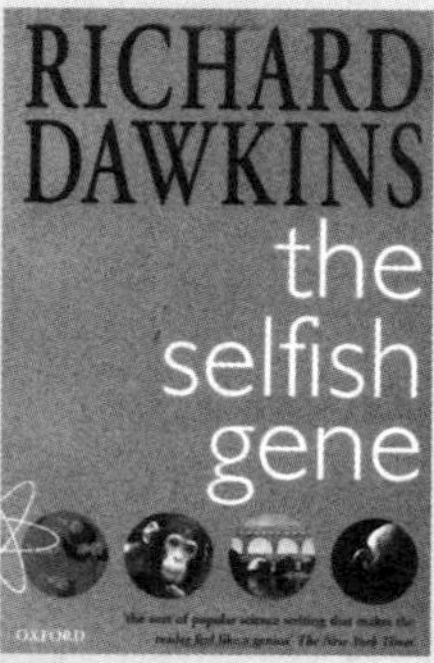

The Selfish Gene
作者：
Richard Dawkins
出版社：
Oxford University Press
（圖片來源：Amazon）

44. Robert Axelrod, *The Evolution of Cooperation*（1984）
45. Desmond Morris, *The Naked Ape*（1967）
46. Eric Fromm, *The Nature of Man*（1968）
47. Jared Diamond, *The Third Chimpanzee*（1991）
48. Mary Midgley, *The Ethical Primate: Humans, Freedom and Morality*（1994）
49. Robert Wright, *The Moral Animal*（1995）
50. Sam Harris, *The Moral Landscape*（2010）
51. Edward O. Wilson, *The Social Conquest of Earth*（2012）
52. Christopher Boehm, *Moral Origins: The Evolution of Virtue, Altruism and Shame*（2012）
53. Steven Pinker, *The Language Instinct*（1994）
54. Steven Pinker, *How the Mind Works*（1997）

55. Steven Pinker, *The Blank Slate: the Modern Denial of Human Nature*（2002）

56. Frans de Waal, *Primates and Philosophers: How Morality Evolved*（2006）

57. Matt Ridley, *The Agile Gene: How Nature turns on Nurture*（2012）

58. Philip Zimbardo, *The Lucifer Effect*（2007）

59. Robert M. Sapolsky, *Behave: The Biology of Humans at Our Best and Worst*（2017）

Behave: The Biology of Humans at Our Best and Worst
作者：
Robert M. Sapolsky
出版社：
Penguin Press
（圖片來源：Amazon）

60. Leslie Stevenson, *Thirteen Theories of Human Nature*（2017）

61. Rutger Bregman, *Humankind: A Hopeful History*（2021）

參考書目 7

第四章及第五章：人追求甚麼？／價值與意義的追求

62. Bertrand Russell, *The Conquest of Happiness*（1930）

63. C.G. Jung, *Modern Man in Search of a Soul*（1933）

64. Viktor Frankl, *Man's Search for Meaning*（1946）

65. Jiddu Krishnamurti, *The First and Last Freedom*（1954）

66. Carl Rogers, *On Becoming a Person*（1961）

67. Eric Fromm, *The Art of Being*（1993）

68. Edward O. Wilson, *The Meaning of Human Existence*（2014）

The Meaning of Human Existence
作者：
Edward O. Wilson
出版社：
Liveright
（圖片來源：Amazon）

69. 洪應明：《菜根譚》（~ 1600 年）

70. 唐君毅：《人生之體驗》（1946 年）

71. 南懷瑾：《人生的起點和終點》（2007 年）

72. 聖嚴法師：《禪的智慧》（2003 年）

73. 王超芳：《禪是最好的生活》（2012 年）

74. Gerald M. Edelman, *Bright Air, Brilliant Mind: on the Matter of the Mind*（1992）

75. Antonio Damasio, *The Feeling of What Happens: Body and Emotion in the Making of Consciousness*（1999）

76. Gerald Edelman & Giulio Tononi, *A Universe of Consciousness: How Matter Becomes Imagination*（2000）

77. Susan Blackmore, *Consciousness: An Introduction*（2003）

78. Susan Blackmore, *The Meme Machine*（2000）

The Meme Machine
作者：
Susan Blackmore
出版社：
Oxford University Press
（圖片來源：Amazon）

79. David Eagleman, *The Brain: the Story of You*（2017）

80. Daniel C. Dennett, *Consciousness Explained*（1992）

81. Daniel C. Dennett, *Freedom Evolves*（2004）

82. Daniel Keyes, *The Minds of Billy Milligan*（1981）

83. Oliver Sacks, *The Man Who Mistook His Wife for a Hat*（1985）

84. Michael S. Gazzaniga, *Who's in Charge: Free Will and the Science of the Brain*（2014）

求真——探索宇宙的真象

85. Jacob Bronowski, *The Ascent of Man*（1973）
86. Daniel J. Boorstin, *The Discoverers*（1991）
87. Steven Shapin, *The Scientific Revolution*（1996）
88. Richard Holmes, *The Age of Wonder*（2008）
89. Alastair I.M. Rae, *Reductionism: A Beginner's Guide*（2013）
90. Steven Weinberg, *To Explain the World*（2015）
91. Peter Watson, *Convergence*（2016）
92. Peter Dear, *The Intelligibility of Nature*（2006）
93. Edward O. Wilson, *Consilience*（1998）
94. Frank Wilczek, *A Beautiful Question*（2015）
95. Ian Stewart, *Why Beauty Is Truth: A History of Symmetry*（2007）
96. David Deutsch, *The Fabric of Reality*（1998）
97. Max Tegmark, *Our Mathematical Universe*（2014）
98. Carlo Rovelli, *Reality Is Not What It Seems*（2017）

求善——免人於苦難的精神

99. Eric Fromm, *The Art of Loving*（1956）

100. Friedrich A. Hayek, *The Constitution of Liberty*（1960）

101. John Rawls, *A Theory of Justice*（1971）

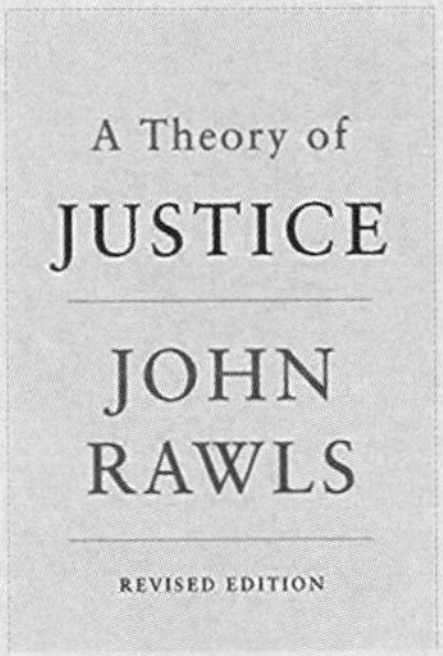

A Theory of Justice
作者：
John Rawls
出版社：
Belknap Press: An Imprint of Harvard University Press
（圖片來源：Amazon）

102. Robert Nozick, *Anarchy, State and Utopia*（1974）

103. Ronald Dworkin, *Taking Rights Seriously*（1978）

104. R.M. Hare, *Moral Thinking*（1981）

105. Alasdair McIntyre, *After Virtue*（1981）

106. Peter Singer, *The Expanding Circle*（1981）

107. Peter Singer, *A Darwinian Left: Politics, Evolution and Cooperation*（1999）

108. Thomas Sowell, *A Conflict of Visions*（new ed.2007）

109. William B. Irvine, *A Guide to the Good Life*（2008）

110. Amartya Sen, *The Idea of Justice*（2009）

111. Michael J. Sandel, *Justice: What is the Right Thing to Do?*（2010）

112. Michael J. Sandel, *What Money Can't Buy*（2012）

113. Johnathan Haidt, *The Righteous Mind*（2013）

114. Johnathan Haidt, *The Happiness Hypothesis*（2015）

115. Rutger Bregman, *Utopia for Realists*（2014）

116. 周保松：《政治的道德——從自由主義的觀點看》（2014年）

《政治的道德：從自由主義的觀點看》
作者：
周保松
出版社：
香港中文大學出版社
（圖片來源：香港中文大學出版社）

求超越——信仰與不朽的境界

117. Bertrand Russell, *Why I Am Not a Christian*（1932）

118. Bertrand Russell, *Religion and Science*（1935）

Religion and Science
作者：
Bertrand Russell
出版社：
Oxford University Press
（圖片來源：Amazon）

119. C.S. Lewis, *The Screwtape Letters*（1942）

120. C.S. Lewis, *Mere Christianity*（1952）

121. Pierre Teilhard de Chardin, *The Phenomenon of Man*（1955）

122. Richard Dawkins, *The God Delusion*（2006）

123. Christopher Hitchens, *God Is Not Great*（2007）

124. Stuart Kauffman, *Reinventing the Sacred*（2008）

125. Robert Wright, *The Evolution of God*（2010）

126. Ronald Dworkin, *Religion Without God*（2013）

127. Sam Harris, *Waking Up: A Guide to Spirituality without Religion*（2014）

128. 聖嚴法師：《正信的佛教》（2008年）

Insight 55

天地人間

從宇宙洪荒到人的處境

作者　李偉才
內容總監　曾玉英
責任編輯　黃詠茵
書籍設計　Joyce Leung
相片提供　Getty Images

出版　天窗出版社有限公司 Enrich Publishing Ltd.
發行　天窗出版社有限公司 Enrich Publishing Ltd.
九龍觀塘鴻圖道78號17樓A室

電話　(852) 2793 5678
傳真　(852) 2793 5030
網址　www.enrichculture.com
電郵　info@enrichculture.com
出版日期　2022年11月初版

定價　港幣$138　新台幣$690
國際書號　978-988-8599-89-9
圖書分類　(1) 社會科學　(2) 哲學

支持環保　此書紙張經無氯漂白及以北歐再生林木纖維製造，並採用環保油墨印刷。